Španělština pro samouky

LEDA

Španělština pro samouky

PhDr. Libuše Prokopová

Klíč • slovník

LEDA
PRAHA
2000

Lektorovala Jana Štanclová de Arranz
Odpovědná redaktorka Elena Dobiášová
Obálka Marek Jodas
Grafická úprava a sazba ing. Petr Bursík
Tisk Rodomax, s. r. o., Nové Město nad Metují
Vydala LEDA, spol. s r. o., 263 01 Voznice 64
http://www.leda.cz

Dotisk druhého vydání, 2005

ISBN 80-85927-08-X

KLÍČ K CVIČENÍM

1

2. Buenas tardes, María. – Muy buenas. Buenas noches, María. – Muy buenas.

3. 1., 2.,3. tengo 4., 5., 6. tienes 7., 8. tiene

4. 1., 2. no tengo 3. no tienes 4., 5., 6., 7. no tiene

5. **a)** 1. Sí, tengo calor. 2. Sí, tengo trabajo. 3. Sí, tengo tiempo. 4. Sí, tengo teléfono. 5. Sí, Juan tiene dinero. 6. Sí, María tiene buena salud. 7. Sí, María tiene café.

b) 1. No, no tengo calor. 2. No, no tengo trabajo. 3. No, no tengo tiempo. 4. No, no tengo teléfono. 5. No, Juan no tiene dinero. 6. No, María no tiene buena salud. 7. No, María no tiene café.

6. 1. Yo no tengo calor, tengo frío. 2. Yo no tengo vino, tengo café. 3. Yo no tengo hambre, tengo sed. 4. María no tiene cacao, tiene chocolate. 5. Juan no tiene tiempo, tiene trabajo.

2

2. el cacao, el café, el calor, el chocolate, el día, el dinero, el frío, la noche, el pan, la salud, la sed, el señor, la señora, la señorita, la tarde, el té, el teléfono, el tiempo, el trabajo, el vino

3. ¡Señora Álvarez! – ¡Señorita! – ¡Carmen! – ¡Muchacho! – ¡Profesor!

4. 1. una muchacha simpática 2. una cubana 3. una española 4. una estudiante inteligente 5. mi amiga checa 6. tu profesora mexicana

5. 1. amigo, amiga 2. español, española 3. bueno, buena 4. bonito, bonita 5. muchacho simpático, muchacha simpática 6. grande, grande 7. fácil, fácil

6. 1. ¿Quién es Carmen? – Carmen es una estudiante cubana. 2. ¿Quién es el señor Rodríguez? – El señor Rodríguez es un profesor español. 3. ¿Quién es Pablo? – Pablo es un compañero mexicano. 4. ¿Quién es Eva? – Eva es su señora. 5. ¿Quién es Juana? – Juana es una muchacha española. 6. ¿Quién es María? – María es mi amiga checa.

7. 1. ¿Es una muchacha inteligente? – Sí, es una muchacha inteligente. Es inteligente y muy simpática. 2. ¿Es un estudiante bueno? – Sí, es un estudiante bueno. Es bueno y muy inteligente. 3. ¿Es un diccionario pequeño? – Sí, es un diccionario pequeño. Es pequeño y bastante bueno. 4. ¿Es un mapa grande? – Sí, es un mapa grande. Es grande y muy bueno. 5. ¿Es una novela interesante? – Sí, es una novela interesante. Es interesante y muy bonita.

8. 1., 2. ¿Quién es? 3., 4., 5. ¿Qué es esto? 6., 7., 8. ¿Cómo es? 9. ¿Es inteligente? 10. ¿Es grande? 11. ¿Es fácil? 12. ¿No es difícil?

9. 1. Co je to? – To je kniha. 2. To je vůz. To je můj vůz. 3. Můj vůz je dobrý. Mám velmi dobrý vůz. 4. Já mám svůj slovník, ty máš svůj slovník, on má svůj slovník. 5. Máš kávu? – Nemám kávu, mám čaj. 6. Manuel je tvůj přítel? – Ano, je to můj přítel. 7. Kdo je to? Je to Marie? – Ne, to není Marie; to je její přítelkyně Lola. 8. Je španělština těžká? – Ne, španělština není těžká. 9. Pablo je Španěl.

10. 1. Buenas noches, señora Álvarez. – Muy buenas, profesora. 2. Gracias, doctor. – No hay de qué, señorita. 3. ¿Qué es esto? – Es un diccionario español-checo y checo-español. 4. Es mi pluma. 5. Es tu lápiz. 6. Es su libro. 7. Es un vino español. Es vino blanco. 8. El vino málaga es muy bueno. 9. El español es fácil. 10. El checo es muy difícil.

11. 1. Madrid 2. Barcelona 3. Sevilla 4. Granada 5. Málaga

3

2. **a)** 1., 2. estudia 3. estudio 4. estudiamos 5. Estudia 6. Estudian 7. estudiáis 8. estudias

b) 1. pronuncias 2. pronuncia 3. pronuncian 4. pronuncia 5. pronuncia, pronunciamos

4. **a)** 1. ¿Estudia usted la gramática? – Sí, estudio la gramática. ¿Y usted? – Yo no estudio la gramática, estudio la pronunciación. 2. ¿Pronuncia usted bien? – Sí, pronuncio bien. ¿Y usted? – Yo no pronuncio bien, pronuncio bastante mal. 3. ¿Pregunta usted en checo? – Sí, pregunto en checo. ¿Y usted? – Yo no pregunto en checo, pregunto en castellano.

b) 1. ¿Estudian ustedes la gramática? – Sí, estudiamos la gramática. ¿Y ustedes? – Nosotros no estudiamos la gramática, estudiamos la pronunciación. 2. ¿Pronuncian ustedes bien? – Sí, pronunciamos bien. ¿Y ustedes? – Nosotros no pronunciamos bien, pronunciamos bastante mal. 3. ¿Preguntan ustedes en checo? – Sí, preguntamos en checo. ¿Y ustedes? – Nosotros no preguntamos en checo, preguntamos en castellano.

5. yo contesto, yo hablo – tú preguntas, tú llamas – él, ella, usted estudia, él, ella, usted llama – nosotros estudiamos, nosotros pronunciamos – vosotros contestáis, vosotros estudiáis – ellos, ellas, ustedes preguntan, ellos, ellas, ustedes hablan

6. 1. tinto 2. pequeño 3. calor 4. sed 5. muy mal 6. difícil

7. 1. Kdo mluví? 2. Jak mluví? 3. Kdo se ptá? – On. 4. Kdo odpovídá? – Oni. 5. Co odpovíte? Jak odpovíte? 7. Jak se vyslovuje „c“ v Latinské Americe? – V Americe se „c“ vyslovuje jako „s“. 8. Má přítelkyně je cizinka, je Francouzka. Mluví francouzsky. Má velmi dobrou výslovnost. 9. Je lehká španělská gramatika? – Ano, gramatika je velmi lehká a výslovnost také. 10. V jakém jazyce se ptá profesor? – Profesor se ptá španělsky.

8. 1. ¿Quién es? – Es Juan. 2. ¿Qué tiene? – Una novela española. 3. ¿Quién llama? – Un extranjero. 4. ¿Cómo habla? – Habla inglés. 5. ¿Habla usted español, señor? – Sí, hablo español, pero muy mal. 6. ¿Cómo se llama esto en español? – Esto se llama... 7. Ustedes pronuncian muy bien. 8. La pronunciación española es muy fácil.

4

1. **a)** Aprendes – David aprende – Usted aprende – Aprendemos – Aprendéis – Aprenden – Ustedes aprenden

b) Lees y escribes – Lola lee y escribe – Usted lee y escribe –

Leemos y escribimos – Leéis y escribís – David y Lola leen y escriben – Ustedes leen y escriben

3. 1. Juan lee 2. Los alumnos leen 3. Leemos 4. (Yo) leo 5. (Yo) como 6. Comemos 7. El niño come 8. Usted come

4. 1. vendo 2. vendes 3. vende 4. no vende 5. vendemos 6. no venden 7. venden

5. 1. no tengo, tengo 2. no tienes, tienes 3. no tiene, tiene 4. no tiene, tiene 5. no tenemos, tenemos 6. no tienen, tienen

6. 1. Sí, tengo dinero. No, no tengo dinero. 3. Sí, José tiene tiempo. No, José no tiene tiempo. 3. Sí, tengo tiempo. No, no tengo tiempo. 4. Sí, tenemos trabajo. No, no tenemos trabajo. 5. Sí, María y Lola tienen trabajo. No, María y Lola no tienen trabajo. 6. Sí, tengo teléfono. No, no tengo teléfono.

7. yo leo, vivo, tengo – tú vives, comprendes, haces – él, ella, usted bebe, come, hace – nosotros, nosotras vendemos, escribimos, hacemos, tenemos – vosotros, vosotras escribís, leéis – ellos, ellas, ustedes aprenden, comen, tienen

8. 1. ¿Tienes (Tiene usted) teléfono? 2. ¿Viven en España? 3. ¿Fuma tu (su) esposo? 4. ¿Tienes (Tiene usted) una máquina de escribir? 5. ¿Escribes (Escribe usted) a máquina? 6. ¿Son cubanos los Álvarez?

9. 1. Mis amigos son comerciantes. 2. Los muchachos estudian las lecciones. 3. Los aprendices aprenden a trabajar. 4. Los alumnos tienen plumas y lápices. 5. Las empleadas escriben cartas. 6. ¿Beben ustedes vino? 7. ¿Qué hacen ustedes? 8. ¿Quiénes son ustedes?

10. 1. Escribo el ejercicio. 2. El vino español es muy bueno. 3. Mi amigo cubano vive en La Habana. 4. El estudiante aprende a pronunciar bien. 5. La empleada escribe a máquina. 6. Ella escribe a mano. 7. El muchacho escucha música. 8. ¿Qué hace usted, amigo? 9. ¿Qué haces, niño? 10. ¿Quién estudia el español y quién el inglés?

12. 1. Čím je váš manžel? – Můj manžel je profesor. 2. Co dělá jeho paní? – Jeho paní je profesorka. 3. Co dělá Jan? – Jan telefonuje. 4. Kdo volá? – Jeden španělský přítel. 5. Kde bydlí paní Blancová? – V Buenos Aires. 6. Teď žijeme dobře. 7. Píšete na stroji? 8. Učím se psát na stroji. 9. Nemám psací stroj. 10. Co uděláme teď?

13. 1. ¿Comprendes? – Sí, comprendo. 2. ¿Comprende usted? – No, no comprendo. 3. ¿Qué haces, Manuel? 4. ¿Qué hace usted, doctor? 5. ¿Qué hacen ustedes, amigos? 6. Aprendo a escribir a máquina. 7. Lola escribe el ejercicio. 8. ¿Trabaja usted en una fábrica? – Sí, trabajo en la fábrica Avia en Praga. 9. Praga es muy bonita. 10. ¿Dónde viven sus amigos? – Mis amigos viven en La Paz. 11. Los niños no tienen hambre. 12. Tengo unas novelas españolas.

5

1. 1. El inglés es fácil. 2. ¿De qué país eres tú? 3. Él es chófer y trabaja en una fábrica. 4. ¿Quién llama? – Tu amiga María. 5. ¿Tenéis mucho trabajo? 6. ¿Qué hacéis? 7. ¿Dónde vivís? 8. ¿De dónde llamáis? 9. ¿Sois ingleses? 10. La gramática del francés es muy difícil.

2. 1. mucho 2. muy 3. muy 4. mucho 5. muy 6. muy 7. mucho – mucho 8. muy – mucho, muy 9. mucho, muy

3. 1., 2. a 3., 4. – 5., 6., 7. a 8., 9. – 10. A 11. –

4. 1. soy 2. eres 3., 4., 5. es 6. somos 7. sois 8., 9., 10. son

5. 1. ¿Ella no es americana? – No, no es americana. 2. ¿Usted no es español? – No, no soy español. 3. ¿Manuel no es cubano? – No, Manuel no es cubano. 4. ¿Nosotros no somos obreros? – No, no somos obreros. 5. ¿Vosotros no sois estudiantes? – No, no somos estudiantes. 6. ¿Ellos no son checos? – No, no son checos. 7. ¿Ustedes no son de Praga? – No, no somos de Praga.

6. 1. Tú 2. Vosotros 3. Nosotros 4. Yo 5. Él 6. Ella 7. Ellos

7. 1. b), 2. d), 3. e), 4.a), 5. c), 6. ch)

8. 1. Aprendo a hablar español. 2. Llama a la secretaria 3. Leo una novela 4. Escuchamos música 5. Estudia el mapa

10. 1. estudio 2., 3., 4., 5. estudia 6. enseña, aprende 7. enseña, aprendemos 8. aprendemos, Aprendemos a, a, a 9. enseña, aprenden 10. aprenden, enseñar

11. 1. ¿Qué hace Manuela? ¿A quién llama Manuela? ¿Quién llama al chófer? 2. ¿Qué hace él? ¿A quién busca? ¿Quién busca al jefe? 3. ¿Quién escribe de Madrid? ¿De dónde escribe David? ¿Adónde escribe David? 4. ¿Qué país exporta cerveza? ¿Adónde? 5. ¿Qué país importa café del Brasil? ¿Qué importa nuestro país del Brasil? ¿De dónde importa nuestro país café? 6. ¿Qué hace Juana? ¿Qué busca Juana? ¿Quién busca un lápiz? 7. ¿Quién pregunta por usted? ¿Por quién preguntan ellos? 8. ¿Qué hace Manuel? ¿Quién habla de su patria? ¿De qué habla Manuel?

12. 1. ¿Quién llama? 2. ¿A quién llama? 3. ¿De dónde llama? 4. ¿Adónde llama? 5. ¿De quién habla? 6. ¿Por quién pregunta? 7. ¿A quién ayuda? 8. ¿Qué busca usted (*n.* buscan ustedes)? 9. ¿Dónde vive usted (*n.* viven ustedes)? 10. ¿Con quién vive usted (*n.* viven ustedes)? 11. ¿Vive usted solo? 12. Praga es la capital de mi país. 13. Escribo a mano. 14. Mi secretaria escribe a máquina. 15. El niño no escribe con la pluma.

6

2. 1. Vengo 2. vienes 3. vienen 4., 5. viene 6. vienen 7., 8. viene 9., 10. vienen

3. 1. mi hermano 2. mi nuera 3. mi yerno 4. mis tías 5. mi prima 6. mi nieto 7. mis sobrinos 8. mis abuelos 9. mi suegro 10. mi abuelo 11. mi abuela 12. mis suegros

4. yo ayudo, hago, soy, vengo – tú pasas, eres, ayudas, vienes – él, ella, usted lucha, estudia, exporta, viene – nosotros, nosotras venimos – vosotros, vosotras sois, vivís, venís – ellos, ellas, ustedes pasan, vienen

5. 1. Su novia es checa. 2. La señora Gómez es una mujer muy simpática. 3. Todas son españolas. 4. Mi amiga inglesa es una mujer mayor. 5. Nuestra hermana menor vive en el campo. 6. Juana es una chica inteligente. 7. Mi abuela es vieja. 8. Nosotras somos estudiantes.

6. 1. Su padre es un hombre de edad. 2. Mi esposo es español. 3. Su yerno es joven. 4. Su tío es viudo. 5. Mi suegro es un señor mayor. 6. Manuel es telefonista. 7. Vosotros sois extranjeros, sois franceses. 8. Ellos son buenos estudiantes.

7. eslovaco 2. español 3. mejicanos 4. cubano 5. francesa 6. italianos 7. portugueses 8. colombiana 9. peruano 10. chilenos

9. 1. Jsem mladý (*n.* mladá). 2. Můj dědeček je starý. 3. Má sestra je vdova. 4. Celá má rodina žije (*n.* bydlí) na venkově. 5. Jan přijíždí velmi často do naší země (k nám). 6. Kolik je vám let? 7. Kolik let je Aničce? – Aničce je pět let. Je to pětiletá holčička. 8. Má sestřenice je svobodná. Má snoubence (*n.* milého). 9. Půjdeš s námi? 10. Kdo půjde s námi? 11. Který měsíc přijedou tví přátelé z Malagy? 12. Přijedou autem?

10. 1. ¿Qué edad tiene usted? 2. ¿Qué edad tiene la madre de Pablo? 3. ¿Tiene usted hijos? ¿Qué edad tienen? 4. Carmen es una niña de diez años. 5. Mi familia pasa dos meses en el campo. 6. Mi hija es una ingeniera agrónoma. 7. Mi jefa es joven. 8. Mi hermano mayor es profesor de ruso. 9. Mi hermana menor es médica. 10. Anita viene muy a menudo a Praga.

7

1. un ojo – un chico – un vino – una mano – una radio – una ciudad – un producto – una moza – un mapa – una cerveza – un *n.* una deportista – un *n.* una telefonista – un aprendiz – un lápiz – una paz – un mes – una edad – un *n.* una pariente

2. 1. escribe mucho / poco 2. mucha / poca fruta 3. muchos / pocos deportes 4. mucha / poca gente 5. muchas / pocas familias 6. muchos / pocos niños 7. muchos / pocos parientes 8. muchos / pocos deportistas

3. 1. mucho. Demasiado 2. muchos. Demasiados 3. mucha. Demasiada 4. muchos. Demasiados 5. muchas. Demasiadas

4. tú y tu amigo – él y su amigo – María y su amigo – usted y su amigo – nosotros y nuestro amigo – vosotros y vuestro amigo – ellos y su amigo – Pablo y Pedro y su amigo – ustedes y su amigo

5. 1. Los alumnos escriben sus ejercicios. 2. Ustedes escriben sus ejercicios. 3. Escribimos nuestros ejercicios. 4. Yo escribo mis ejercicios.

6. 1., 2. mi 3. su 4. sus 5. su 6. sus 7. su 8. nuestros 9. vuestra 10. tus

9. 1. el mío 2. la tuya 3. la nuestra 4. el mío 5. los suyos 6. la tuya 7. los vuestros 8. el nuestro 9. el mío

10. 1. Porque soy cómodo. 2. Porque es muy guapa. 3. Porque tengo mucho trabajo. 4. Porque no tenemos dinero. 5. Porque no tiene teléfono.

11. 1. Znám mnoho španělských slov. 2. Znáte Marii Gonzálezovou? – Ano, znám velmi dobře Marii. 3. To je Pavlova kopie? – Ne, moje. Pavel má originál. 4. Co děláš, můj synu? 5. Máte sílu? – Ano, ale ne velkou. 6. Přijde málo lidí. 7. Naše děti jsou velcí sportovci. Pěstují mnoho sportů. 8. Je to výborný profesor. 9. Máte červenou tužku? – Ne, mám pouze modrou.

12. 1. Un amigo mío vive en España. 2. Uno de mis amigos no viene. 3. ¿Conoce usted a mi tío? – No, no conozco a su tío (*n.* al tío de usted). 4. ¿Es usted deportista? 5. Practico pocos deportes. Sólo nado. 6. ¿Por qué no practica usted otros deportes? 7. Mi novia es delgada, morena, tiene los ojos azules y el pelo negro. 8. Los Fernández viven en uno de los barrios obreros de Madrid.

8

1. 1. creo 2. crees 3. cree – creo 4. cree 5. Creemos 6. creen 7. cree

2. 1. sé 2. Sabes 3., 4. sabe 5., 6. Saben 7. sabemos

3. 1. Sales – salgo 2. Sale – salgo 3. salen – salimos 4. salen – salimos 5. sale

5. 1. está 2. estoy 3. son 4. es 5., 6. es 7. está 8. es 9. Es 10. está 11. está, está 12. está

6. Nada tienen. 2. Nada sabe. 3. Nadie sabe cuándo salen. 4. En nuestra oficina nadie fuma. 5. ¿Nadie tiene hambre? 6. Por la mañana nunca están en casa. 7. Jamás está en casa.

7. 1. también 2. tampoco 3. tampoco 4. también 5. tampoco 6. también 7. tampoco

9. 1. gracias 2. De nada 3. Por favor 4. gracias

10. 1.¿Ya está usted bien? 2. ¿No está usted enferma? 3. ¿Es soltero su amigo? 4. ¿Está casada su amiga? 5. ¿Cuándo sale usted de compras? 6. ¿Está don Pedro? 7. ¿Cómo está usted? 8. ¿Qué tiene?

11. 1. Jak je (se daří) Janovi? – Myslím, že mu je dobře. 2. Kde je? – Je v Havaně. Jeho rodina je v Santiagu de Cuba. 3. Dítěti je špatně (*n.* dítě je nemocné). – Co mu je? – Má velký kašel. 4. Co myslíte, je to možné? – Já myslím, že ano. Ne, nemyslím. Myslím, že ne. 5. V poledne se Pavel vrací domů. 6. Nevíš nic o Carmen? – Ne, a ty? – Já také ne. 7. Na shledanou zítra! Pozdravujte (svého) otce. – Díky, vyřídím.

12. 1. ¿Cómo está usted, amigo mío? – Gracias, bien. ¿Y usted? 2. Yo estoy bien. ¿Y su familia? 3. ¿Qué desea usted? – Deseo hablar con el señor Moreno, con don Manuel. 4. No deseo nada. Nada deseo. 5. Salgo mañana por la mañana o al mediodía. 6. Regresa a medianoche. 7. ¿No sabe usted quiénes vienen mañana? 8. Nadie sabe nada. 9. Cree usted que es posible? – No es posible. 10. Estoy mala. – ¿Qué tienes? – Estoy un poco resfriada. 11. ¿Sabe usted contestar en español? – No, no lo sé. Es muy difícil. 12. Yo sé la gramática de memoria.

9

2. 1. este 2. esa 3. aquellos 4. esos 5. este 6. esta 7. aquella 8. estas

3. 1. es 2., 3., 4., 5. está 6., 7., 8. es 9. está 10. son

5. 1. está 2. hay 3. están 4. hay 5. Está 6. es 7. hay, está 8. Es, está, hay 9. Son, son, están 10. es 11. hay

8. 1. Je hodně velkých měst na Kubě? – Jsou dvě: Havana a Santiago de Cuba. Havana má milion obyvatel. 2. Promiňte, pane, kde je hotel Prado? Je daleko odtud? – Ne, je velmi blízko. Vidíte tamtu budovu s velkou zahradou, vedle muzea Prado? To je (ten) hotel. 3. Proti našemu hotelu je kavárna. 4. Kavárna je naproti. 5. Banka je proti hotelu. 6. Co je napravo? – Napravo je park. Napravo je park Prado. 7. Co je nalevo? – Nalevo je ulice. Nalevo je Velázquezova ulice. 8. Co vidíte? – Nevidím nic. 9. Koho vidíte? – Nevidím nikoho.

9. 1. Hay que comprar café. 2. Tienes que comprar café. 3. Cerca del hotel hay varios bares. 4. Tengo que preguntar dónde está la

Plaza (de) Colón. 5. Frente a nuestro hotel hay un gran parqu
6. ¿Qué haces (por) aquí? 7. ¿Qué hacen ustedes (por) all
8. ¿Qué hay de nuevo? – No hay nada de nuevo. 9. Es lejos. E
cerca. 10. El banco está lejos. El banco está cerca. 11. ¿Tien
usted un plano de esta ciudad? 12. ¿Ve usted aquel edificio alto
– Veo muy mal. ¿Dónde está? – Allí. Está a la izquierda. Est
a la derecha. Está lejos. Está cerca. 13. El restaurante "La Haba
na Vieja" está al lado de la catedral.

10. **a)** Pedro Rentería es ingeniero, viene de Argentina, es argentino
vive en Buenos Aires. Lola Páramo es profesora de músic
viene de Bolivia, es boliviana, vive en La Paz. b) Jesús Álvare
es médico, viene del Perú, es peruano, vive en Lima. Marí
Rodriguez es pianista, viene del Brasil, es brasileña, vive e
Brasilia. c) Ricardo Muñoz es director de un hotel, viene de Cu
ba, es cubano, vive en La Habana. Conchita Villegas es secreta
ria, viene de España, es española, vive en Málaga.

10

1. 1. oigo, oigo 2. Oyes 3. oye 4. oímos 5. oyen 6., 7. oye

3. 1. Va a visitar 2. Voy a ayudar 3. Vamos a regresar 4. Vamo
a pasar 5. Van a visitar 6. Vamos a leer y estudiar

5. **a)** 1. trabaja 2. escucha 3. llama 4. compra 5. baja 6. transbord
7. ayuda 8. come 9. bebe 10. lee 11. coge 12. sube 13. escrib
14. obedece

b) 1. trabaje 2. escuche 3. llame 4. compre 5. baje 6. transbord
7. ayude 8. coma 9. beba 10. lea 11. coja 12. suba 13. escrib
14. obedezca

c) 1. trabajen 2. escuchen 3. llamen 4. compren 5. baje
6. transborden 7. ayuden 8. coman 9. beban 10. lean 11. coja
12. suban 13. escriban 14. obedezcan

6. 1. ¡Sé amable, Juan! ¡Sea usted amable! ¡Sean ustedes amable
2. ¡Ven esta tarde! ¡Venga usted esta tarde! ¡Vengan ustedes es
tarde! 3. ¡Ve a casa! ¡Vaya usted a casa! ¡Vayan ustedes a cas
4. ¡Sal por aquí! ¡Salga usted por aquí! ¡Salgan ustedes por aqu
5. ¡Haz el favor de llamar! ¡Haga usted el favor de llamar! ¡Haga
ustedes el favor de llamar!

7. a) b) c) 1. ¡Pregunta (Pregunte usted, Pregunten ustedes) si...! ¿Por qué no preguntas (no pregunta usted, no preguntan ustedes) si...? Haz (Haga, Hagan) el favor de preguntar si...

2.¡Para (Pare usted, Paren ustedes) ...! ¿Por qué no paras (no para usted, no paran ustedes) ...? Haz (Haga, Hagan) el favor de parar ...

3. ¡Pasa (Pase usted, Pasen ustedes) por aquí! ¿Por qué no pasas (no pasa usted, no pasan ustedes) por aquí? Haz (Haga, Hagan) el favor de pasar por aquí.

4. ¡Sube (Suba usted, Suban ustedes) a...! ¿Por qué no subes (no sube usted, no suben ustedes) a...? Haz (Haga, Hagan) el favor de subir a...

5. ¡Ve (Vaya usted, Vayan ustedes) a...! ¿Por qué no vas (no va usted, (no van ustedes) a...? Haz (Haga, Hagan) el favor de ir a...

6. ¡Ven (Venga usted, Vengan ustedes) con...! ¿Por qué no vienes (no viene usted, no vienen ustedes) con...? Haz (Haga, Hagan) el favor de venir con...

7. ¡Sal (Salga usted, Salgan ustedes) con tus (sus) amigos! ¿Por qué no sales (no sale usted, no salen ustedes) con tus (sus) amigos? Haz (Haga, Hagan) el favor de salir con tus (sus) amigos.

8. 1. ¿Dónde está la parada de autobuses? 2. ¿Dónde está la estación del metro? 3. ¿Dónde hay una parada de taxis? 4. ¿Está cerca? 5. ¿No está lejos? 6. ¿Qué autobús debo tomar para la Plaza (de) Colón? 7. ¿Qué línea va al Correo Central? 8. ¿Debo transbordar? 9. ¿En qué estación debo transbordar? 10. ¿En qué estación debo bajar? 11. ¿Cómo se llama la próxima parada? 12. ¿Pasa este autobús por el centro? 13. ¿Por dónde debo regresar al hotel? 14. ¿Debo ir a pie o tomar el metro?

9. 1. ¿Qué pasa? – Nada. No pasa nada. 2. ¿Qué autobús pasa por aquí? 3. ¿Pasa el nueve por aquí? – No, el nueve pasa por la Avenida Nacional. 4. El Manzanares pasa por Madrid. 5. Mi cuñado va a pasar dos años en el extranjero. 6. Por favor, ¿dónde está la estación del metro? – Allí, en aquella esquina. A cinco minutos de aquí. Delante del hotel. Detrás de aquel edificio moderno. Al lado del cine. A la izquierda. A la derecha. En la Plaza de la Revolución. 7. Ya viene el autobús. Suba usted *n.* Suban

ustedes. 8. Por favor, ¿va usted a bajar? 9. ¿Qué vamos a tomar?
– Yo voy a tomar café. – Y yo, coñac.

11

1. Adiós, mi hijo – adiós, hijo mío – kilómetro – veintiuno – veintiún días – tres – veintitrés – veintisiete – joven – jóvenes – un millón – jardín – jardines – oír – oye – oímos – oís – dais – sois – ¡dé! – ¿es este reloj? – sí, es éste

6. Son las siete, las seis y media, las doce. Es la una menos cuarto, la una en punto. Son las cuatro y cuarto, las siete y media, las ocho y cinco minutos, las nueve menos veinte, las diez menos diez.

7. 1. Es mediodía. 2. Son las cinco. 3. El reloj da las seis. 4. Comemos a eso de las dos. 5. El director viene antes de las nueve. Desde las nueve hasta las once está en su oficina. 6. Espere (usted) antes de las cinco delante de nuestra casa.

8. 1. Cuánto 2. Cuántos 3. Cuánto 4. Cuánta 5. Cuántas 6. Cuánto 7. Cuántas

9. 1. por, a 2. a, de 3. a, de 4. por, a 5. de 6. a 7. en 8. a

10. **a)** 1. Pienso 2. piensas 3. Piensa 4., 5. piensa 6. piensan 7. Piensan 8. piensa

b) 1. Quiero 2. quieres 3. quiere 4. Quiere 5. Queremos 6., 7. quieren

c) 1. doy 2. das 3. da 4. Damos 5. dan

11. **a) b)** 1. ¡Llama (Llame usted) a ...! ¿Por qué no llamas (no llama usted) a ...? Haz (Haga) el favor de llamar a ... ¿Quieres (Quiere usted) llamar a ...?

2. ¡Espera (Espere usted) ...! ¿Por qué no esperas (no espera usted) ...? Haz (Haga) el favor de esperar ... ¿Quieres (Quiere usted) esperar ...?

3. ¡Comienza (Comience usted) ...! ¿Por qué no comienzas (no comienza usted) ...? Haz (Haga) el favor de comenzar ... ¿Quieres (Quiere usted) comenzar ...?

4. ¡Piensa en tu (Piense usted en su) ...! ¿Por qué no piensas (no

piensa usted) ...? Haz (Haga) el favor de pensar ... ¿Quieres (Quiere usted) pensar ...?

5. ¡Da (Dé) ...! ¿Por qué no das (no da usted) ...? Haz (Haga) el favor de dar ... ¿Quieres (Quiere usted) dar ...?

12. 1. hora 2., hora 3. hora, reloj 4. hora 5. clases, hora 6. clases 7. reloj 8. – 9. lección 10. clases

13. 1. Pracujeme od půl osmé ráno do tři čtvrtě na čtyři odpoledne. 2. Jste volný (volná) dnes odpoledne? 3. Mám odpoledne obsazené (zadané). 4. Přemýšlej chvilku! 5. Myslete víc! 6. Na co myslíte? 7. Míníte odpovědět? 8. Myslím, že už je pozdě. 9. Můj manžel myslí, že již nepřijdou. 10. Chtějí jít s námi. 11. Marcelo velmi miluje svou ženu. 12. Mám velmi naspěch *n.* Velmi spěchám. 13. On mluví velmi rychle. 14. Spěch není dobrý.

14. 1. Espero a mi amiga. 2. Espera un momento. 3. Espere usted unos días. 4. ¡Pero yo no quiero esperar! 5. ¿Qué piensa usted hacer? – No lo sé. 6. Perdona, tengo prisa. 7. Ya es muy tarde. 8. ¡Abra usted (Abrid, Abran ustedes) el libro! 9. ¡Cierre usted (Cerrad, Cierren ustedes) el libro! 10. Venga usted (Venid, Vengan ustedes) antes. 11. Venga usted (Venid, Vengan ustedes) antes de las siete.

12

1. 1. Mi marido sale de casa a las ocho y llega a la oficina a las nueve. 2. Salgo de mi casa a las nueve menos cuarto y llego al centro a las nueve y cuarto. 3. Sales del banco a las tres y llegas a casa a las tres y media. 4. Usted sale del hotel a las nueve y media y llega al museo a las diez. 5. Ustedes salen de Madrid a la una y media y llegan a Sevilla a las seis y cuarto. 6. Salimos de la oficina a las cuatro y llegamos a casa a las cinco menos cuarto.

2. 1. Anita se despierta a las siete. 2. El niño se baña a las ocho. 3. Me levanto a las seis y media. 4. Nos levantamos a las ocho menos cuarto. 5. Queremos levantarnos a las ocho y cuarto. 6. Salgo a las dos. 7. Pienso irme a la una.

3. 1. Me lavo los dientes dos veces al día. 2. Me baño siete veces a la semana. 3. Veo a mis suegros una vez a la semana. 4. Como cinco veces al día. 5. Telefoneo muchas veces a Madrid.

4. 1. me 2. se 3. nos 4. me 5. te 6., 7 se 8. Nos 9. Se, nos 10. te 11. os 12. te 13. se 14. me 15. se

5. 1. te llamas – me llamo 2., 3., 4. se llama – se llama 5. se llama – me llamo 6. se llama, Se llama – me llamo

6. **a)** (tú) 1. espera 2. sube 3. cierra 4. calienta el agua 5. báñate 6. dúchate 7. lávate las manos 8. quédate 9. siéntate

b) (usted) 1. espere 2. suba 3. cierre 4. caliente el agua 5. báñese 6. dúchese 7. lávese las manos 8. quédese 9. siéntese

c) (ustedes) 1. esperen 2. suban 3. cierren 4. calienten el agua 5. báñense 6. dúchense 7. lávense las manos 8. quédense 9. siéntense

7. 1. Tengo que tomar un taxi para ir al teatro. 2. Mi madre calienta el agua para preparar el café. 3. Desayuno pan con mantequilla para no tener hambre. 4. Busco mi cepillo de dientes para lavarme los dientes. 5. Vamos a levantarnos temprano para salir de viaje.

8. 1. Me afeito antes / después de ducharme. 2. Me preparo el café antes / después de bañarme. 3. Me lavo los dientes antes / después de desayunar. 4. Hago gimnasia antes / después de tomar el desayuno. 5. Tomo un café antes / después de terminar mi trabajo 6. Fumo antes / después de comer.

9. 1. Vstaň. Vstaňte. Vstávají velmi pozdě. 2. Sedněte si sem. Sedám si ke stolu. Nechce si sednout. Proč si nesednete? Posaďte se, prosím. 3. Odejdi odtud. Odejděte ihned. Již jdu (pryč). 4. Mám velký hlad, budu hned jíst. 5..Počkejte, jdu hned dolů. 6. Chcete jít ke mně (nahoru)? 7. Zítra vyjíždíme do Sevilly. 8. V kolik hodin odjíždí autobus do Granady?

10. 1. La familia se sienta a la mesa. 2. Siéntese, por favor. 3. ¿Hay agua caliente? Quiero bañarme. 4. Ahora voy a desayunar. 5. ¿Qué quiere usted para desayunar? – Zumo (Jugo) de naranja, té con leche y pan tostado (tostadas) con mantequilla y mermelada. 6. ¿Usted ya se va? ¿Tiene prisa? – Sí, me voy, el tiempo corre y yo tengo todavía mucho trabajo. Tengo que darme prisa. 7. Venga, no debemos llegar tarde. 8. Mi marido (*n.* esposo) se afeita dos veces al día.

13

4. doscientas cincuenta estudiantes – ochocientas coronas – mil pesetas – cien mil litros de leche – miles de hectáreas – diez millones de marcos – veintiún mil millones de dólares – el diez por ciento de los niños – el cincuenta por ciento de los trabajadores – el noventa y nueve por ciento de todos los empleados – el cien por ciento de los turistas

5. 1. tanto 2. tanto, tanto 3. tanto, tanta, tantos, tantas 4. tanta 5. tantos

7. 1. puedo 2. puedes 3. puede 4. pueden 5. puede 6. Podemos 7. Podéis 8. Pueden

10. 1. a la izquierda 2. después, detrás 3. fría 4. alto 5. poco 6. a tiempo 7. Termina tarde 8. caras 9. bajan 10. Importamos 11. gastar 12. vengo 13. cerrar 14. cobrar

11. **a)** 1. Tohle dítě neumí ještě počítat. 2. Počítejte do desíti. 3. Mají účet u Španělské banky. 4. Čtu velmi zajímavou knihu povídek, která se jmenuje „Lidé z Madridu“ a je od Juana Garcíi Hortelana. 5. Neuvědomují si nic. 6. Turisté si uvědomují problémy země. 7. Je třeba být si vědom toho (mít na paměti), že mnoho lidí má velmi nízké mzdy. 8. Kolik vyděláváte? Jaké nájemné platíte? Za měsíc nebo za rok? 9. Proč nejdete s námi? Nemůžete, nebo nechcete? – Nemůžeme. 10. Jestli chceš, můžeme vyjít hned. 11. Kolik stojí tohle? 12. Tenhle román nestojí za nic. 13. Zítra půjdu k tobě, platí?

b) 1. Debo pagar. Tengo que pagar. Hay que pagar. Voy a pagar. 2. ¿A qué hora puede usted (pueden ustedes, podéis) terminar? 3. ¿Cuánto cuesta (vale) esto? 4. Es caro. Es bastante caro. Es muy caro. Es demasiado caro. No es barato. 5. ¿Cuánto cuesta un litro de vino tinto? 6. ¿Cuánto cuestan cien gramos de café? 7. ¿Cuánto cuesta un kilo y medio de carne? 8. ¿Cuánto gana usted? ¿Gana usted tanto como Pepe? 9. ¿Cuánto cobra usted? 10. ¿Quién gana? ¿Cuánto gana? 11. No puedo gastar tanto dinero. 12. El nivel de vida en nuestro país es alto.

14

1. 1. Vuelvo. 2., 3. vuelve 4. vuelven 5. volver 6. Vuelves 7. Vuelva

2. 1. Volveré 2. No almorzaré 4. Descansarás 4. Vendrá usted 5. Nos quedaremos 6. Me acostaré 7. No pagarán

3. 1. Cenaré 2. pensará 3. preparará 4. Daremos 5. descansaréis 6. será 7. Estaremos 8. iré 9. Nos iremos 10. Saldré 11. te levantarás 12. se quedará 13. Nos acostaremos 14. estaré 15. Tendrá 16. vendrá 17. podrá 18 sabrá 19. querrán 20. Habrá 21. hará

4. 1. Leerás 2. Habrá 3. se quedará 4. no aceptará 5. Iremos 6. Veremos 7. Dormiréis

5. **a)** 1. toma 2. paga 3. apaga 4. siéntate 5. acuéstate 6. enciende 7. almuerza 8. duerme 9. juega 10. vuelve 11. da 12. ve

b) 1. tome 2. pague 3. apague 4. siéntese 5. acuéstese 6. encienda 7. almuerce 8. duerma 9. juegue 10. vuelva 11. dé 12. vaya

6. 1. alegremente 2. Generalmente 3. amablemente 4. cómodamente 5. Posiblemente 6. Naturalmente 7. rápidamente 8. seriamente 9. solamente (*n.* sólo)

8. **a)** 1. Nevím, co udělají. 2. Zítra budeš vědět vše. 3. Nepíše, kdy přijede. 4. Vy zůstanete tady, nebo půjdete s námi? Zůstanu. 5. Poslyš, co budeš dělat zítra? 6. Budu poslouchat rádio. Kromě toho je dobrý program v televizi. 7. Chcete mi udělat laskavost? – Milerád. 8. Bude to pravda? To je pravda. Není to pravda. Je to tak, že?

b) 1. Me acostaré temprano. 2. Ahora vamos a almorzar. 3. En Madrid comeremos a las dos y cenaremos a las diez. 4. ¿Verás a Juan? 5. Me compraré unos discos. 6. ¿Saldrá usted? – Sí, daré una vuelta por la ciudad. 7. ¿A qué hora volverá usted? – A eso de las siete estaré de vuelta. 8. Santiago no volverá a su país, se quedará en Praga. 9. Mañana iré a la estación. Carlos irá también. Iremos todos. 10. Enciende la luz. 11. Enciende la televisión. 12. Apaga la luz. 13. Apaga la radio. 14. No necesito nada. 15. Necesito mil pesetas. 16. Necesito su consejo.

15

2. **a)** primero, segunda, tercero, cuarto, décima, centésimo, milésimo; el *n.* un setenta y cinco por ciento, el *n.* un noventa y ocho por ciento; dos enteros y diez centésimos *n.* dos, coma, diez, cien enteros y un centésimo *n.* ciento, coma, cero uno.

b) primeras – primeros – cuarta

4. 1. primero 2. cuarto 3. sexta 4. quinta 5. segundo

7. 1. Desde hace varios meses. Desde septiembre. 2. Desde hace ocho días. Desde el domingo pasado. 3. Desde hace media hora. Desde las doce. 4. Desde hace diez años. Desde 1980. 5. Desde hace seis meses. Desde junio.

8. 1f, 2e, 3j, 4a, 5ch, 6h, 7d, 8c, 9g, 10b, 11i

9. 1. repito 2. repites 3. Repite 4. repite 5. Repita 6. Repetimos 7. repiten

11. **a)** 1. Kdy se vrátíš domů (= do své země)? – Pozítří. Za několik dnů. Za týden. Příští týden. Za čtrnáct dní. Za měsíc. Příští měsíc. V červnu. 2. Zůstanete dlouho v Madridě? – Ne, pouze dva nebo tři dny. Příští týden odjedu do San Sebastianu. 3. Moji španělští přátelé jsou tu od dnešního rána (od včera večer, od včerejška, (již) tři dny, (již) týden, (již) několik měsíců, (již) rok). 4. Již dva dny jsou u nás. 5. Už je to několik dní, co nepřichází. 6. Zavolejte znovu zítra. 7. Zavolejte znovu za hodinu.

b) 1. ¿A cuántos estamos hoy? – Hoy es el 21 de enero de 1989. 2. Pasado mañana escribiré a Mercedes. 3. ¿Cuánto tiempo se quedará usted aquí? – Me quedaré ocho días (quince días, un mes). 4. Desde hace dos meses (*n.* Hace dos meses que) no tenemos sus noticias. 5. Conozco al señor González desde hace varios años. 6. Mañana es un día de fiesta, es el Día Nacional de la República Checa. 7. La semana que viene me quedaré en el campo. 8. Repite tu nombre y apellido. 9. Haga el favor de repetir su nombre y apellido. 10. Siga (usted). Seguid.

16

3. 1. Qué, Qué, qué, qué 2. Qué, qué, que 3. Qué, Qué, Qué 4. que, que 5. que, que 6. que, que, que, de lo que

4. 1. Tengo 2. No tienes 3. No tiene 4. Vamos a tener 5. Tendréis 6. Tendrán ustedes

5. 1. En Castilla llueve mucho menos que ... 2. Murcia es mucho menos interesante que ... 3. En Santiago de Chile hace muchísimo menos frío que ... 4. En abril hace menos calor que ... 5. En diciembre, los días son menos largos que ... 6. El programa de hoy es menos interesante que el de mañana. 7. Vuestra habitación es menos cómoda y menos clara que la nuestra.

8. 1. ... no es tan inteligente como ella. 2. ... no es tan feliz como yo. 3. ... no es tan joven como mi tío. 4. ... no es tan trabajador como Juan. 5. ... no es tan cara como el vino.

9. 1. tanto frío como 2. tanta hambre como 3. tantos días de fiesta como 4. tantas lenguas como 5. tan largo como 6. tan joven como 7. tan bien como 8. tanto como 9. tanto como

10. 1. como 2., 3., 4. que 5. como 6., 7. que

11. 1. mejor, peor 2. mejor, peor 3. mayor, menor 4. menor

12. 1. el peor 2. la mayor 3. mi mejor 4. lo mejor 5. lo mejor, lo peor

13. 1. facilísima 2. simpatiquísima 3. malísimo 4. contentísima 5. cansadísimos 6. guapísima 7. carísima 8. baratísimas 9. interesantísimas

15. 1. Aquí hace mucho calor. 2 ¿Tiene usted bastante calor? – Tengo mucho (*n.* muchísimo) calor. 3. En invierno, el agua está helada. 4. Hay (*n.* Hace) 10 grados sobre cero. 5. Hace (*n.* Hay) un viento fresco. Llueve. 6. Creo que va a llover. 7. Nieva. 8. Hay nieve 9. Las montañas están cubiertas de nieve. 10. Hiela. 11. Tengo las manos heladas. 12. Ya empieza a mejorar el tiempo. 13. Así es mejor. 14. Trabaja lo menos posible. 15. Cierre la puerta, que hay corriente (de aire). 16. Tengo más que Miguel. Tengo más dinero que Miguel. Tengo más pesetas que Miguel. No tengo más que mil pesos. 17. De día trabajan y de noche duermen. 18. ¿A qué hora amanece? 19. ¡Qué frío (hace)! 20. ¡Qué alto (es)!

17

3. Le invito a Praga – a mi casa – a una cafetería – a tomar un café – a tomar un aperitivo – a pasar la Semana Santa en Sevilla.

4. 1. Acabo de tomarlo. 2. Acabo de invitarla. 3. Acabo de llamarle. 4. Acabo de pagarla. 5. Acabamos de invitarlos. 6. Acabamos de ayudarla.

5. 1. Le doy las gracias. 2. Le repito la noticia. 3. Le digo todo. 4. Les recomiendo la novela. 5. Les explica el problema. 6. Les deseo feliz año. 7. Miguel les cuenta su vida.

6. 1. La oímos. 2. Lo lavamos. 3. Pedro la mira. 4. Marisol le mira. 5. Las repito. 6. No lo vemos. 7. No la tengo. 8. No los oigo. 9. No las esperamos. 10. Los invito.

8. 1., 2., 3., 4. parece 5. parecen, parece 6., 7., 8., 9. parece 10. parecen 11. parezco

9. 1. Digo 2. dices 3., 4. dice 5. decimos 6. dicen 7. Dime 8. Díganos 9. dirá 10. diremos

10. 1. Este coñac es carísimo, ¿no le parece? – No me parece. 2. ¡Queridísimos amigos! 3. Nos encontraremos en la Puerta del Sol. 4. No sé donde está mi paraguas. 5. Tráeme dos botellas de agua mineral. 6. Tráigame un vaso de zumo (jugo) de naranja. 7. Te traigo ron cubano. ¿Te gusta? – Sí, me gusta mucho. Té con ron cubano es riquísimo, pero mucha gente prefiere el cubalibre. 8. ¿Qué dice usted? – No digo nada. 9. ¿Qué debe usted decirnos? 10. ¿Qué me dirán? ¿Me dirán la verdad? – No pueden decirte la verdad. No la saben. 11. ¡A tu (su) salud! – ¡A la tuya! ¡A la suya ! 12. ¿Qué tal le (*n.* les, os) parece San Sebastián? 13. Espere, señora, la ayudaré *n.* voy a ayudarla.

18

1. 1. diviertes – divierto 2. divierte – divierto 3. divierten 4. divierten, divertimos 5. divertiré 6. Diviértete 7. Diviértase 8. Diviértanse

2. 1. despedirme 2. despedirme, despedirlos 3. despides 4. despide 5. despiden 6. Despedirse 7. Despiden 8. Despedimos 9. Despídete 10. Despídase 11. Despídanse

3. llora, llore, lloren – entra, entre, entren – empieza, empiece, empiecen – acompáñame, acompáñeme, acompáñenme – invítala, invítela, invítenla – pruébalo, pruébelo, pruébenlo – vuelve, vuelva, vuelvan – tráelo, tráigalo, tráiganlo – diviértete, diviértase, diviértanse – repítelo, repítalo, repítanlo

4. 1. Tomas / Toma usted – no lo tomo – tómalo / tómelo – voy a tomarlo 2. Buscas / Busca usted – no lo busco – búscalo / búsquelo – voy a buscarlo. 3. Pagas / Paga usted – no la pago – págala / páguela – voy a pagarla 4. Compras / Compra usted – no las compro – cómpralas / cómprelas – voy a comprarlas 5. Apagas / Apaga usted – no la apago – apágala / apáguela – voy a apagarla 6. Cierras / Cierra usted – no la cierro – ciérrala / ciérrela – voy a cerrarla 7. Repites / Repite usted – no la repito – repítela / repítala voy a repetirla 8. Traes / Trae usted – no los traigo – tráelos / tráigalos – voy a traerlos 9. Dices / Dice usted – no lo digo – dilo / dígalo – voy a decirlo

5. 1. vivía 2. éramos 3. íbamos 4. era 5. sabía 6. estábamos 7. hacía 8. practicaba

6. 1. c), 2. e), 3. b), 4. d), 5. a), 6. ch)

7. **a**) practicábamos – nos bañábamos – paseábamos – teníamos – invitábamos – nos divertíamos – éramos

b) me acostaba – dormía – prefería quedarme – no salía – no abría

c) iban – pasaban – nadaban – hacían – comían – tomaban – bebían – dormían – se acostaban

8. 1. Arriba, abajo 2. Abajo 3. arriba 4. abajo 5., 6. bajo 7. bajar de 8. subir 9. bajos, bajarán 10. sube

9. **a**) 1. Neříkal jsem to? 2. Však já to věděl. 3. Nevěřil (jsem) tomu. 4. Nevěřil jsi mi. 5. Nemohl jsem tomu uvěřit. 6. Nechtěl mě vidět. 7. Pršelo a byl velký vítr. 8. Byl vánek od moře. 9. Hory byly pokryty sněhem. 10. Dole bydlí moji rodiče a nahoře bydlíme my. 11. Ignác sejde hned dolů. Už je dole. 12. Jdeme do druhého poschodí. 13. Půjdeme (nahoru) pěšky. 14. Rozlučte se a pojďte s námi. 15. Přijdeme ti naproti na nádraží. 16. Půjdeme vyprovodit našeho španělského přítele. 17. V oné době (Tehdy) bydlel v zahraničí. 18. Pojďte sem. – Už jdu.

b) 1. En su juventud vivía en Argentina. 2. Nos veíamos a menudo. 3. ¿Tienen (Tenéis) ustedes calefacción central? – Sí, tenemos calefacción central a gas. 4. No sabía qué hacer. 5. En verano íbamos todas las tardes al río para tomar el sol y bañarnos. 6. ¡Despídete y ven acá! 7. Al pie de la sierra había varios hoteles de lujo. 8. Nos quedaremos en Benidorm hasta finales de septiembre. 9. A principios de octubre regresaremos a Madrid. 10. En el río había una corriente peligrosa.

19

1. 1. Me lo traen. 2. Me los explican. 3. Te la repito. 4. Te las devuelvo. 5. Se lo doy. 6. Se la cuento. 7. Se lo cuento. 8. Se lo doy. 9. Se la explico. 10. Se lo repito. 11. Se lo digo.

2. **a)** 1. Prepáramelo. – Te lo prepararé. 2. Déjamelo. – Te lo dejaré. 3. Enséñamelas. – Te las enseñaré. 4. Devuélvemelo. – Te lo devolveré. 5. Tráemelo. – Te lo traeré. 6. Házmelo. – Te lo haré. 7. Repítemelo. – Te lo repetiré.

b) 1. Prepáreme un café. Prepáremelo. – Se lo prepararé. 2. Déjeme su mapa de España. Déjemelo. – Se lo dejaré. 3. Enséñeme esas flores. Enséñemelas. – Se las enseñaré. 4. Devuélvame el diccionario de americanismos. Devuélvamelo. – Se lo devolveré. 5. Tráigame el periódico de hoy. Tráigamelo. – Se lo traeré. 6. Hágame ese favor. Hágamelo. – Se lo haré. 7. Repítame lo que dicen de Tomás. Repítamelo. – Se lo repetiré.

4. 1. Podría 2. sabría 3. gustaría 4. diría 5. agradecería 6. querrías 7. Tendría 8. Sería 9. haría 10. Tendríamos 11. podrían 12. Habría

5. 1. ninguno 2. ningunas 3., 4. nada 5. nadie 6. a nadie 7. de nadie. 8., 9. nunca 10. Yo tampoco 11. Nosotros tampoco

6. 1. dejar 2. Deja 3. dejo 4. Dejen 5. dejamos 6. dejar, dejar 7. deja 8. prestarme 9. presta 10. Déjeme 11. dejas 12. deja

7. 1., 2. se siente 3. te sientes 4. Me siento 5. siento 6. Nos sentimos 7. sienten

8. **a)** 1. Já jsem si sedal ke stolu a můj dědeček si sedal do křesla. 2. Není vám špatně? 3. Nalijte mi víc vína. 4. Dítě se dává do pláče. 5. Proč se tak smějete? Nesmějete se nám, doufám? – Ne, nesmějeme se vám, pouze jsme veselí. 6. To je ale smůla!

Pokaždé když nechám deštník doma, prší. 7. Chcete jít dnes večer s námi do kina? – Jaký je program? Co dávají? – Španělský film. Film Carmen. Jestli chcete, zavolám do pokladny, zda jsou lístky. 8. Neznáte náhodou Ignacia Muriela? Mělo by se mu pomoci. Je záhodno mu pomoci. Musíme mu pomoci.

b) 1. ¡Déjalo para mañana! 2. Déjeme solo. 3. Tomás tiene siempre suerte. 4. Tengo mala suerte en todo. 5. Lo siento. Lo sentimos. 6. ¿Cómo se siente el enfermo? – Se siente peor que hace dos días. 7. ¿Siente usted algún dolor? – Siento dolores en el pie izquierdo. 8. Yo tendría entonces unos veinte años y tú, treinta. 9. ¿Por qué se ríe usted? – Yo no me río. Yo no me río de usted. 10. Convendría darse prisa. 11. Nos veremos el miércoles, ¿le conviene (*n.* lè parece bien)? – Por cierto. De acuerdo.

20

3. **a)** 1. para ti, para mí 2. por ti 3. de sí 4. en ti 5. de mí 6. de ellos 7. De mí, de usted 8. entre tú y yo.

b) 1. con él, conmigo 2. con nosotros 3. conmigo 4. con usted 5. contigo 6. Contigo 7. consigo.

4. 1. Quiero lavarme. 2. Pienso sólo en mí. 3. Él no piensa nunca en sí. 4. Pienso en él. 5. No tenemos tiempo para nosotros. 6. Prepararé la cena para usted (vosotros) y para mí. 7. Habla siempre sólo de sí. 8. Yo escribo de mí. Yo escribo de él. 9. El autor escribe de sí. El autor escribe de él.

5. 1. A mí me ... 2. A ti no te ... 3. A María le ... 4. A nosotros nos ... 5. A vosotros no os ... 6. A los jóvenes les ... 7. A usted no le ... 8. A ustedes les ...

6. 1. no nos gusta – les gusta 2. A mí no me gusta – a ustedes les gusta 3. A mí no me gusta – a mi mujer le gusta 4. A nosotros no nos gusta – le gusta 5. A María no le gusta – le gusta.

8. 1f, 2j, 3g, 4a, 5e, 6d, 7h, 8ch, 9c, 10b, 11i

10. **a)** 1. Nabídni mi to. Nabídnou mu (jí, jim, vám) to. Nabídněte mu (jí, jim) to. Nabízím mu (jí, jim, vám) to. Nabízím mu (jí, vám) všechno. 2. Mám tam být kolem deváté. 3. Ten člověk nám všem dluží peníze: mně dluží tisíc pesos, tobě dva tisíce a Jáchymovi dluží pět tisíc. 4. Jsou asi nemocní, jinak by přišli.

5. Každých pět kilometrů je telefon. 6. Hledali všude. 7. To je vše. To bylo vše, co jsme pro tebe mohli udělat. 8. Říká, že má dopisní papír, ale přesto bude dobré mu ho koupit. 9. Přestože jsem sama, bavím se.

b) 1. ¿Estudia Joaquín contigo? – Sí, estudia conmigo. 2. ¿Estos sobres son para mí? – Sí, para usted. 3. Venga usted conmigo. 4. Iré con usted. 5. Yo también iría con ustedes. Me gustaría ir con ustedes. 6. Páseme el cenicero. – Tenga. 7. Jesús trabaja de intérprete y traductor en el Festival Internacional de Cine. 8. Cuanto más sabe, tanto mejor traduce. 9. Llueve. A pesar de ello saldré. 10. Es todo lo que saben de ti. 11. Llueve todo el día. 12. Todos le buscan (Todo el mundo le busca) a usted. 13. Todos los viernes vienen a jugar al tenis. 14. Traduzco cada día. 15. Aprendemos cada semana una lección.

21

1. 1. poner, pongo, Pon 2. Ponga 3. ponen 4. Ponte, Ponte 5., 6. pone 7., 8. pongo, pongo 9., 10. pone 11. ponen

3. 1e, 2g, 3i, 4a, 5j, 6b, 7c, 8ch, 9d, 10h, 11f

4. **a)** 1. ¿A quién dices que visitarás? 2. ¿A quién dices que quieres? 3. ¿A quién dices que esperas? 4. ¿A quién dices que tienes que llevar a la estación? 5. ¿A quiénes dices que invitas? 6. ¿De quién dices que es esa novela? 7. ¿De quién dices que se despiden? 8. ¿Con quién dices que viajas? 9. ¿De quién dices que se ríe?

b) 1. ¿Qué dices que ponen hoy en la televisión? 2. ¿Qué dices que compras? 3. ¿Qué dices que les comprarás? 4. ¿Qué dices que buscas? 5. ¿Qué dices que eliges?

c) 1. ¿Qué calefacción dice usted que tiene su casa? 2. ¿Qué queso dice usted que traerá? 3. ¿Qué café dice usted que comprará? 4. ¿Qué cerámica dice usted que le gusta? 5. ¿Qué amigos dice usted que llegarán mañana? 6. ¿Qué bolsos dice usted que son prácticos?

6. 1., 2., 3., 4., 5., 6. que 7. la que 8. quien, quienes 9. quien 10. las que 11., 12., 13. lo que 14. cuyo 15. cuyos

7. **a**) 1. Si tiene calor ... 2. Si tiene hambre ... 3. Si tiene prisa ... 4. Si tiene fiebre ... 5. Si se siente mal ... 6. Si necesita hablar ... 7. Si quiere comprar ... 8. Si va a ... 9. Si ve a ...

b) 1. Si no descansas ... 2. Si no te quedas ... 3. Si no cierras ... 4. Si no estudia ... 5. Si no escucha ... 6. Si no me devuelves ... 7. Si no se dan prisa ...

c) 1. Si compras ... 2. Si no funciona la cremallera ... 3. Si llamas ... 4. Si compras ... 5. Si descansa usted ... 6. Si quieres acompañarme ...

9. 1. barra 2. botella 3. paquete 4. paquetes 5. botella 6., 7. gramos 8. medio litro 9. medio kilo 10. media botella 11. litros

10. **a**) 1.Již zapadá slunce. 2. Dovolíte–li, položím svůj kufr na váš. – Ne, pane, váš kufr je mnohem větší a těžší než můj; buďte tak laskav a dejte ho pod můj. 3. Dítě se dá do hraní. 4. Vezměte si boty (Obujte se). 5. Musím si zout (tyto) boty, mám je velmi špinavé. 6. Čí je tenhle kufr? Který kufr je váš? Který z těch dvou kufrů je váš? 7. Uvidím ho. 8. Půjdu se na něj podívat.

b) 1. Aplace su viaje. – No me queda otro remedio que aplazarlo. Lo aplazaré. Tengo que aplazarlo. 2. Pierde mucho tiempo. 3. No piedro nunca nada. 4. ¿Le pago a usted o en caja? 5. Sus padres le permiten todo. 6. Tomaré la cartera. 7. Me pondré los zapatos. 8. Se pone a trabajar. 9. ¿Quién tiene la llave de la habitación? 10. El sitio en (el) que (*n.* donde) estamos está al norte de Madrid. 11. Viven como trabajan 12. ¿Cuánto paga usted? – Pago (tanto) cuanto puedo.

22

2. Ayer escuché – vi – compré – salí – volví – tuve – cerré – almorcé – molí – jugué – me acosté

Ayer encendió – desayunó – perdió – tuvo – hizo – se sentó – dio

3. 1. qué viste / vio usted 2. con quién saliste / salió usted 3. a quién escribiste / escribió usted 4. para quién compraste / compró usted 5. qué perdiste / perdió usted 6. a quién encontraste / encontró usted 7. a quién invitaste / invitó usted 8. qué le devolviste / devolvió usted 9. qué le diste / dio usted *n.* a quién le diste / dio usted

4. 1. Anoche llamé ... 2. Vi ... 3. Tuve la posibilidad de hablar ... 4. Conocí ... 5. El niño comió ... 6. En la sala permanecieron ... 7. Tuvimos que esperar ... 8. Hicimos escala ...

5. 1. recibí 2. tuvimos que levantarnos 3. se quedó 4. los llevó 5. permaneció 6. volvimos

6. 1. hablaban 2. hacía 3. desayunaba 4. veíamos 5. hacía 6. llovía 7. hacía

9. **a)** 1. Letadla přistávala každých pět minut. Letadla přistála na Mezinárodním letišti v New Yorku. 2. Cestující vystupovali. Cestující vystoupili. 3. Odkládal vždy svou návštěvu. Odložil svou návštěvu. 4. (Moje) matka mi to nedovolovala. (Moje) matka mi to nedovolila. 5. Profesoři nám to zakazovali. Profesoři nám to zakázali. 6. Letadla společnosti Cubana de Aviación mívala mezipřistání v Kanadě. Naše letadlo mělo mezipřistání v Kanadě. 7. Trávili jsme všechna dopoledne na pláži. Včera jsme strávili celé dopoledne na pláži. 8. Každý den přicházel pozdě. Včera přišel pozdě. 9. Po několik dní jedl pouze ovoce. Včera snědl pouze dva pomeranče.

b) 1. Viajé en clase turista. 2. ¿Cuánto dura el vuelo por encima del Océano Atlántico? – Siete u ocho horas. 3. Aterrizamos en el aeropuerto de Nueva York. 4. El barco hizo escala en el puerto de La Habana. 5. Visité el puerto, donde vi numerosos barcos. 6. Continué mi viaje. 7. ¡Buen viaje! 8. Esperamos en el aeropuerto. 9. La exposición de las obras de Picasso tuvo lugar en París y en Barcelona. 10. ¿Cuánto vale un dólar? ¿A cómo está el marco alemán?

10. 5, 4, 1, 10, 6, 3, 12, 11, 13, 9, 2, 8, 7

23

3. **a)** 1. Me desperté, me vestí, desayuné, me despedí, me fui. 2. Elegí, hacía. 3. Nadé, me divertí 4. sentí 5. Me dirigí, me senté, almorcé 6. seguí 7. volví, era

4. Ayer 1. se puso 2. trajo 3. salió 4. quiso 5. dijeron 6. pidieron 7. pude / pudo

5. 1. Le dije 2. Fuimos 3. Traje 4. Vine 5. Dormí 6. Hubo 7. Le di 8. Quisieron

6. 1. fue 2. estuvo 3. Fuimos 4. fue 5. Vio 6. pudimos, hubo 7. tuvo 8. jugaron 9. se puso 10. supe 11. Me acosté, pude

7. 1. dormía, durmió 2. leía, leí, me dormí 3. iban, fueron 4. ponía, puso 5. viajábamos, fuimos 6. sabían, supe

9. 1e, 2c, 3a, 4b, 5g, 6d, 7f, 8ch

10. 1. El cliente movió la cabeza y dijo que no. 2. ¿Le duele algo? – No, no me duele nada. 3. Me duele todo el cuerpo. 4. Tengo dolores de cabeza 5. ¿Puedo hacerle una pregunta? – Cómo no. Pregunte. 6. ¿Preguntó alguien por mí? – Sí, alguien preguntó por usted, pero yo no sé quién era. 7. ¿A quién debo dirigirme? Diríjase a la Embajada Checa en esta capital. 8. Saqué el pasaporte y se lo entregué al aduanero. 9. ¿Cuál es su apellido? 10. ¿Tiene usted algo que declarar? – No, nada. Todas las cosas que llevo son de uso personal. 11. ¿Trae usted dólares o pesos mejicanos? 12. A mi llegada vi mucha gente en la sala de tránsito. 13. Le pido un favor. 14. Yo no le pido nada. No le pedí nada. 15. Manuel me pidió un favor.

24

3. 1. a 2. a, al 3. A 4. para 5. al, para, en 6., 7. de 8. –, en, en 9., 10. en

5. 1. Estaba, volvieron 2. Fui, traía 3. Esperaba (*n.* esperó) 4. llamó, dijo, contesté 5. queríamos, preguntamos, era 6. estaba 7. estaba, causó 8. había, tenía, eran 9. instalaron 10. convenía, estaba

6. 1. Ella misma 2. Ellos mismos 3. lo mismo 4. de sí mismo 5. de lo mismo 6. el director mismo 7. el mismo director 8. del mismo color, el mismo precio 9. lo mismo 10. la misma edad 11. La señora misma

7. 1. Era una empleada muy trabajadora. 2. Es una mujer encantadora. 3. La vendedora me preguntó qué deseaba. 4. ¿Conoce usted a la autora de este manual? 5. La reina visitó la Pirámide del Sol 6. La princesa es mayor que su hermana. 7. Mi hija menor es ingeniera. 8. La habitación interior es más tranquila, pero la exterior tiene más luz. 9. Ella es peor que ellas.

8. 1. Buscaba alojamiento. Fui a un hostal. 2. El hostal me causó buena impresión. Era limpio y tranquilo. 3. Alquilé una habitación individual con (cuarto de) baño. 4. Dejé el coche en el aparcamiento. 5. Estaba muy cansado y me acosté enseguida. 6. El balcón de mi habitación daba al mar. 7. Los recién llegados se sentaron a la mesa y pidieron la cena. 8. Siempre es lo mismo. 9. Debe hacer el mismo examen que Luis. 10. Llámeme (*n.* Llámenme) mañana mismo.

25

2. 1. Comía 2. Nos enviabas 3. Llevaba 4. Nos veíamos 5. Ellos compraban 6. Ustedes pasaban

3. **a)** 1. no los he mirado, míralos 2. no lo he firmado, fírmalo 3. no le he llamado, llámale 4. no la he reservado, resérvala. 5. no la he limpiado, límpiala 6. no lo he cerrado, ciérralo 7. no la he puesto, ponla 8. no lo he traducido, tradúcelo 9. no las he repetido, repítelas 10. no lo he servido, sírvelo

b) 1. no me las he lavado, láveselas 2. no me he duchado, dúchese 3. no me los he puesto, póngaselos 4. no me lo he comprado, cómpreselo 5. no se la he dado, désela 6. no se la he ofrecido, ofrézcasela 7. no se lo he enviado, envíeselo 8. no se lo he entregado, entrégueselo

5. 1. fuimos, hemos ido 2. estuvimos, no hemos salido 3. llamaron, no han llamado 4. escribí, no he escrito 5. fui, he tenido que ir 6. hubo, no ha habido 7. quedamos, la hemos pasado

6. 1ch II, 2a III, 3b V, 4d IV, 5c I

8. 1. por 2. para 3. por 4. Por 5. por 6., 7. para 8., 9. por 10. Por, para

9. **a)** 1. Co jste (to) říkal? 2. Promiňte. Nerozuměl jsem. 3. Dnes ráno (dopoledne) jsem je potkal na ulici. 4. Tento týden se vrátili z Kuby. 5. Ještě neotevřeli obchody. 6. Již se vrátilo jaro. 7. Ředitel podepisoval dopisy. – Ředitel podepsal dopis. 8. Jeho rodiče mu posílali peníze každý měsíc. – Poslali mu již peníze na tento měsíc? 9. Jak dlouho jsme se neviděli? – Asi dva měsíce, zdá se mi. – Jak ten čas letí! 10. Jak jste se vyspal? – Dost dobře. Sousedé nahoře (nade mnou) mne o půlnoci vzbudili, ale naštěstí jsem hned znovu usnul. 11. Hodil byste mi tenhle dopis na poštu? 12. V neděli večeřím obvykle venku. 13. Je tu již váš bratranec? Kdy přijel? – Přijel včera večer. 14. Včera jsem tu zprávu slyšel v rozhlase a dnes jsem ji četl v novinách. 15. Letos v létě jsme si odpočinuli, ale minulé léto jsme se příliš unavili.

9. **b)** 1. ¿Ha visto usted? 2. ¿Ha pagado usted? 3. ¿Ha comprendido usted todo? – Perdone, no he comprendido. ¿Puede usted repetir lo que acaba de decir? 4. ¿Has empezado ya? – No, todavía no he empezado. 5. Esta tarde he terminado esa traducción. 6. Dígame lo que le ha pasado. 7. Se me ha olvidado echar esta carta (al buzón). 8. Olvidaba todo lo que se le decía. 9. Hace tiempo que se ha olvidado de mí. 10. Tenga mi tarjeta (de visita). 11. Póngase en la cola. 12. Tenemos que hacer cola. 13. Ponga la fecha de ayer. – No, voy a poner la de mañana. 14. Tengo que poner un telegrama. 15. Quedó suspendido en dos asignaturas. 16. Todavía es muy temprano. No son más que las cinco. 17. Escriba usted pronto. 18. ¿Qué dice usted? ¿Qué dijo usted? Acabo de decírselo. Suelo decírselo. 19. Envíemelo. Se lo enviaré. Ya se lo he enviado.

26

2. 1. Estoy esperando 2. Está escuchando 3. Están viendo 4. Está preparando 5. Están estudiando 6. Estamos haciendo

3. 1. está / estaba nevando 2. está / estaba haciendo 3. está / estaba limpiando 4. está / estaba quitando 5. estoy / estaba afeitándome *n.* me estoy / estaba afeitando 6. estoy / estaba lavándome *n.* me estoy / estaba lavando 7. están / estaban durmiendo 8. están / estaban muriendo 9. están / estaban sirviendo 10. están / estaban oyendo

4. 1. ¿Qué está haciendo la niña? ... se está peinando 2. ¿Qué están haciendo los niños? ... se están bañando 3. ¿Qué estás *n.* está usted haciendo? Estoy llamando 4. ¿Qué está haciendo Mercedes? ... está saludando 5. ¿Qué están haciendo los Alonso? Se están trasladando 6. ¿Qué está haciendo la abuela? ... está durmiendo 7. ¿Qué está haciendo Diego? Está levantándose 8. ¿Qué está haciendo el alumno? Está abriéndole *n.* Le está abriendo 9. ¿Qué está haciendo Julio? Le está ofreciendo *n.* ofreciéndole 10. ¿Qué están ustedes haciendo? Nos estamos despidiendo. *n.* Estamos despidiéndonos.

5. 1. está estudiando 2. estáis haciendo? Estamos pintando 3. está usted leyendo 4. estás pensando 5. está mirando 6. Estoy llamando 7. estabas haciendo, estaba durmiendo

6. 1., 2. viviendo 3. pensando 4. estudiando 5. mirando 6. diciendo 7. siendo 8. entrando 9. corriendo 10. charlando 11. fumando

7. 1. Estudiando 2. Leyendo 3. trabajando 4. Entrando 5. cantando 6. Tomando 7. Siendo eso 8. Estando 9. siendo

8. 1. a la izquierda 2. dentro de, lejos de 3. Encima de 4. Delante de 5. delante 6. abajo 7. en la planta baja 8. después de 9. tarde 10. de día

9. **a)** 1. Ferdinand vždycky běží (letí, jde honem, utíká) do školy. 2. Lolo, pojď sem honem! 3. Šli jsme pěšky ze Španělského náměstí až na nádraží Atocha. 4. Prosím vás, ztlumte tu televizi, nemůžeme spát. 5. Nekřič na mě! 6. Celá zahrada voní růžemi. 7. Zelená barva mi nesluší. 8. Co tím chcete říct? Ach, už chápu! 9. Přinesl bys mi ten kufr? No tak, přines mi ho, jsem moc unavená.

b) 1. El pasaje de avión te costará casi quince mil pesetas. 2. Alguien me robó mi bolso con el pasaporte y toda la documentación. 3. Yo no he visto nunca el mar. 4. La ciudad se conoce andando. 5. Estuve leyendo hasta medianoche. 6. Toda la tarde estaba lloviendo, no queríamos salir. 7. Diga usted en voz alta lo que acaba de decir en voz baja. 8. Mi (*n.* La) hermana murió joven. 9. La casa de mi tía siempre olía a limpio. 10. ¿Sabes tejer? ¿Te gusta tejer? A mi abuela le gusta mucho tejer.

27

5. 1. había comprado 2. habíamos comprado 3. me había dejado 4. me había prestado 5. me había traído 6. le habían enviado 7. había traído 8. nos habíamos despertado 9. habían salido 10. se habían ido

6. 1. Una exposición ... será organizada por ... 2. La América Latina fue colonizada por ... 3. El Nuevo Mundo fue descubierto por

... 4. Aquellos tres pabellones fueron construidos por .. 5. Fuimos invitados por ... 6. El "Guernica" fue pintado por ... 7. La ópera ... fue compuesta por ... 8. Nuestros pasaportes fueron examinados por ... 9. Dos terroristas fueron detenidos por ... 10. Su ejemplo fue seguido por ...

7. 1. ¿Un nuevo director ya está nombrado? 2. ¿El Pabellón del Descubrimiento ya está cerrado? 3. ¿La exposición ya está inaugurada? 4. ¿El libro ya está traducido? 5. ¿Las cartas ya están firmadas? 6. ¿Ya está preparado todo? 7. ¿Ya está puesta la mesa?

8. 1. b) g) m) o) 2. c) i) j) r) 3. a) h) k) p) 4. d) e) n) r) 5. ch) f) l) q)

9. 1. Yo voy a esperar (*n.* esperaré) aquí y tú, mientras tanto, subes a ver si está (en casa). 2. Mientras ustedes estudian la lección, yo haré la traducción. 3. Le llamaron, pero él no había llegado todavía. 4. Le entregué el regalo que le habíamos comprado en Mallorca. 5. Les dije lo que había descubierto. 6. ¿No vio (*n.* no ha visto) usted el periódico, que había dejado aquí, en la mesa? 7. ¿Cuándo serán pagadas estas dos cuentas? 8. La novela "Don Quijote de la Mancha" fue (*n.* ha sido) traducida a muchas lenguas. Está traducida a todas las lenguas europeas. 9. El edificio de la nueva Ópera ya está terminado. 10. América fue descubierta por Cristóbal Colón a finales del siglo XV.

28

1. 1. Todos los vinos españoles son de primera clase, aun los más baratos. 2. Algunos países de América y África están aún subdesarrollados. 3. Déme aún más. 4. ¿Habéis llamado? – No, aún no. 5. Cuando llegó,no sabía aún la última noticia. 6. Aun así es interesantísimo. 7. Aún no ha venido ni aun la mitad de la gente.

3. **a)** 1. dice que está, dijo que estaba 2. dice que es, dijo que era 3. dicen que son, dijeron que eran 4. dicen que estudian, dijeron que estudiaban 5. dice que debe, dijo que debía 6. dice que no lo conoce, dijo que no lo conocía 7. dice que quiere, dijo que quería 8. dice que suele, dijo que solía 9. dicen que van, dijeron que iban 10. dice que va a decírselo, dijo que iba a decírselo 11. dice que tiene, dijo que tenía 12. dice que tienen, dijo que tenían 13. dice que acaba, dijo que acababa 14. dice que hay, dijo que había 15. dice que hay, dijo que había

b) 1. dice que ha desayunado, dijo que había desayunado 2. dice que ha llegado, dijo que había llegado 3. dice que no ha podido, dijo que no había podido 4. dice que ha comprado, dijo que había comprado 5. dice que tuvo, dijo que había tenido 6. dice que no pudo, dijo que no había podido 7. dicen que no han salido, dijeron que no habían salido 8. dice que se acostó, dijo que se había acostado 9. dice que ha dormido ..., se ha despertado, dijo que se había dormido ..., se había despertado 10. dice que ha tenido, dijo que había tenido 11. dice que ha calculado, dijo que había calculado 12. dice que estuvo, dijo que había estado 13. dice que se ha olvidado, dijo que se había olvidado 14. dicen que han visitado, dijeron que habían visitado 15. dicen que han tomado ... y se han bañado, dijeron que habían tomado ... y se habían bañado 16. dice que fue habitado, dijo que había sido habitado 17. dice que fue colonizada, dijo que había sido colonizada

c) 1. dice que se casará, dijo que se casaría 2. dicen que regresarán, dijeron que regresarían 3. dicen que saldrán, dijeron que saldrían. 4. dice que llegará, dijo que llegaría 5. decimos que iremos, dijimos que iríamos 6. dicen que volverán, dijeron que volverían 7. dice que escuchará, dijo que escucharía 8. dice que no podrá, dijo que no podría 9. dice que me hará, dijo que me haría.

4. 1. Bartolomeo preguntó si podía venir. Le dije que sí, que vendría. Me contestó que me esperaría. 2. Creí que lo sabía usted. 3. Ella sabía que era verdad todo lo que me habían dicho de ella. 4. El hombre repitió que quería hablar con el jefe y dijo que le traía una noticia importante. 5. Veía que el tiempo que tenía que quedarme aquí sería más largo de lo que había pensado. 6. Querían saber si les escribirías. 7. Era una profesora de literatura que habíamos conocido en Sevilla. 8. Nuestros amigos nos explicaron cómo en su país se había liquidado el analfabetismo. 9. Me parecía que ya era tarde.

5. 1. Me preguntó qué había de nuevo. Le contesté que ya había conseguido el visado de entrada para Australia. Saldría dentro de unos días. Iría en avión. 2. Me telefoneó preguntando si conocía a su amigo Joaquín Lara. Le respondí que no le conocía, nunca le había visto, pero tendría mucho gusto en conocerle. 3. Me preguntaron adónde iba tan temprano. Contesté que tenía que ir tan temprano. Teníamos una clase desde las siete. 4. El jefe quería saber por qué no había venido la secretaria. Si estaría enferma.

6. Félix dijo que iría con mucho gusto pero no podía; había prometido a sus padres que ese fin de semana se quedaría con ellos y les ayudaría a instalar el nuevo frigorífico. Consuelo dijo que no podía acompañarle, porque tenía mucho que hacer. Debía estudiar la historia de España. Dentro de unos días empezarían los exámenes. Los Fernández dijeron que preferían quedarse en Madrid.

7. 1. ¡Pobre muchacho! Es de una familia muy pobre. 2. En algunos países latinoamericanos existe el problema del analfabetismo. 3. México es hoy un país industrial altamente desarrollado. 4. Les expliqué que las nueve décimas partes de la producción mundial de café provenían de la América Latina, sobre todo del Brasil y de Colombia. 5. No sabían que los países latinoamericanos eran tan ricos. 6. Aún no sabía lo que iba a hacer. 7. No puedo moverme. Cada movimiento me duele. 8. Decían, que en su país crecía la criminalidad. 9. Nos explicaron que una gran parte de la cocaina y marihuana provenían del Perú y de Colombia.

29

2. 1. sirve 2. sirvo 3., 4., 5. sirve 6. ¡Sírvete! 7. sirvo 8. servirle

3. ¡No grites! – ¡No bajes! – ¡No nades! – ¡No regreses! – ¡No tomes! – ¡No perdones! – ¡No termines! – ¡No escuches! – ¡No trabajes! – ¡No esperes! – ¡No corras! – ¡No vendas! – ¡No respondas! – ¡No subas! – ¡No abras! – ¡No te levantes! – ¡No te calles! – ¡No te fijes! – ¡No te preocupes! – ¡No te bañes! – ¡No me ayudes! – ¡No me lo cambies! – ¡No se lo pagues! – ¡No se la alquiles!

4. 1. Escucha, no escuches, escuche usted, no escuche usted 2. toma, no tomes, tome usted, no tome usted 3. escoge, no escojas, escoja usted, no escoja usted 4. sube, no subas, suba usted, no suba usted 5. baja, no bajes, baje usted, no baje usted 6. pide, no pidas, pida, no pida 7. créelo, no lo creas, créalo usted, no lo crea usted 8. levántate, no te levantes, levántese usted, no se levante usted

5. 1. entremos 2. preguntemos 3. busquemos 4. sentémonos 5. quedémonos 6. discutamos 7. calculemos

6. 1. No llame usted. No llames. No llaméis. 2. No olvide usted ... No olvides ... No olvidéis ... 3. No me espere. No me esperes. No me esperéis. 4. No se quede ... No te quedes ... No os quedéis ... 5. No se lave ... No te laves ... No os lavéis ... 6. No se dirija ... No te dirijas ... No os dirijáis ...

8. 1ch, 2d, 3f, 4i, 5h, 6g, 7b, 8c, 9a, 10e

10. **a**) Zeptal jsem se číšníka, zda je obsazen ten stůl u okna. On se mě zeptal, zda budu jíst. Řekl jsem mu, že ano, ale že chci počkat na přítelkyni, která přijde v jednu hodinu. Má přítelkyně přišla ve dvě. Vysvětlila mi, že nemohla přijít dříve. Její vedoucí ji zavolal; musela napsat ještě dva dopisy. Objednali jsme si menu a dali jsme se do jídla. Mám ti podat (posloužit) šťávu, Dolores, nebo si posloužíš sama?

b) 1. Ese problema me preocupa mucho. 2. No se preocupe. 3. Por mí no te preocupes. 4. No estoy acostumbrado a las comidas de aquí. 5. Hay que acostumbrarse poco a poco. 6. María sabía que me gustaban (*n.* apetecían) espárragos. 7. Eva dijo que quería ponerse morena. 8. Esas bromas no me gustan. 9. Vi que mi jefe estaba de buen humor. 10. ¿Por qué está usted de mal humor? 11. Juan preguntó si era verdad. 12. Juan me preguntó si tenía razón. 13. En este río hay muchos peces. 14. Voy a comprar carne o pescado. 15. Traiga, (que) le llevo (*n.* llevaré) la maleta. – Gracias, no se moleste. No quiero molestarle. 16. ¿Le sirvo más carne? Sírvase más carne. 17. Me sirvieron un bisté con arroz y lentejas.

30

2. 1., 2., 3. hacer 4. Hago 5., 6., 7. hace 8. hizo 9. hará 10. hace 11. haga 12. hizo 13. Haga 14. haciendo

3. 1. Ukázal mi své snímky z Andalusie. 2. Jeho slova mě rozesmála. 3. Kdo ji rozplakal? 4. Šéf je nechal pracovat do pozdních nočních hodin. 5. Buď tak laskav a nenechávej mě čekat. 6. Nějaký hluk mě přinutil, abych se obrátil (otočil hlavu). 7. Je to film, který nutí k zamyšlení. 8. Připravujete mě o čas (Ztrácím kvůli vám čas), tím čekáním tady. 9. Nenechávej mě to opakovat. 10. Dali si vystavět vlastní domek na venkově. 11. Slečno, přijde-li pan Méndez, uveďte ho ihned do mé pracovny. 12. Ta zpráva mě přinutila k návratu do hlavního města. 13. Dala jsem si ušít nové šaty. 14. Nebudeš mi namlouvat, že to je pravda?

4. salir – bajar – llorar – cobrar – callar – vender – terminar – importar – cerrar – apagar – empeorar – permitir – encontrar *n.* ganar – despertarse – morir – quitar

5. paga, pague – apaga, apague – ruega, ruegue – entrega, entregue – juega, juegue – elige, elija – sigue, siga – busca, busque – explica, explique – saca, saque – practica, practique – agradece, agradezca – ofrece, ofrezca – traduce, traduzca – aplaza, aplace – empieza, empiece – almuerza, almuerce – cambia, cambie – estudia, estudie – envía, envíe – continúa, continúe

6. **a)** no comiences, no comience, no comiencen – no cierres, no cierre, no cierren – no enciendas, no encienda, no enciendan – no almuerces, no almuerce, no almuercen – no pidas, no pida, no pidan – no sirvas, no sirva, no sirvan – no rías, no ría, no rían – no permanezcas, no permanezca, no permanezcan

b) no te acuestes, no se acueste – no te pruebes, no se pruebe – no te muevas, no se mueva – no te despidas, no se despida – no te vistas, no se vista – no te diviertas, no se divierta

7. 1. No se lo preste. 2. No me lo entregue. 3. No me la envíe. 4. No se lo recomiende. 5. No me la cuente. 6. No me lo prometa. 7. No me lo lea. 8. No se lo escriba. 9. No se las ofrezca. 10. No se lo pida. 11. No se la prohíba. 12. No se los lleve.

8. pasamos, habían recomendado, íbamos, tomar, nadar, quedábamos, volvíamos, dormíamos, íbamos – hicimos, había estado, conocían, apetecía – amaneció, fuimos, están, son, sirven – alquilamos, recorrimos, gustó, tiene – iremos, pasamos

9. 1. Iré a recogerte a eso de las cinco. 2. Pregunte en la recepción del hotel. 3. ¿Ya está usted listo? 4. La madre dijo que la comida estaba lista. 5. Estamos listos para salir. 6. Perdone, me he retrasado. 7. ¿Por qué se enfada usted? ¿Está usted enfadado conmigo?

No se enfade conmigo. 9. Eva me contó, que había comprado un jersey de lana en Madrid. 10. Andrés dice que se hace lavar la ropa en el hotel. 11. Supongo que llegarán con el avión de mañana. 12. ¡Cuidado! ¡Ten cuidado! ¡Tenga cuidado de no caer!

31

2. **a**) 1. Que espere. 2. Que estudie. 3. Que pague. 4. Que coma. 5. Que lea. 6. Que escriba. 7. Que suba. 8. Que no le abra. 9. Que venga. 10. Que no vuelva. 11. Que la repita. 12. Que la organicen. 13. Que no se sienten. 14. Que no sonría.

b) 1. Que se quede. 2. Que no se levante. 3. Que no se peine. 4. Que no se bañe. 5. Que no se alojen aquí. 6. Que se diviertan.

c) 1. Que me lo entregue. 2. Que no se lo preste. 3. Que nos lo cambie. 4. Que no me lo crea. 5. Que no me lo prometa. 6. Que me lo traiga. 7. Que no nos lo devuelvan.

3. **a**) 1. Si quieres salir, sal, y si no quieres salir, no salgas. 2. Si quieres comenzar, comienza, y si no quieres comenzar, no comiences. 3. Si quieres permanecer en Madrid, permanece, y si no quieres permanecer en Madrid, no permanezcas. 4. Si quieres sentarte, siéntate, y si no quieres sentarte, no te sientes. 5. Si quieres venir conmigo, ven, y si no quieres venir conmigo, no vengas. 6. Si quieres oír lo que dicen, óyelo, y si no quieres oírlo, no lo oigas. 7. Si quieres ir con nosotros, ve, y si no quieres ir, no vayas. 8. Si quieres volver al hotel, vuelve, y si no quieres volver, no vuelvas. 9. Si quieres contármelo, cuéntamelo, y si no quieres contármelo, no me lo cuentes. 10. Si quieres decírmelo, dímelo, y si no quieres decírmelo, no me lo digas. 11. Si quieres enviárnoslo, envíanoslo, y si no quieres enviárnoslo, no nos lo envíes.

b) 1. salga – no salga 2. comience – no comience 3. permanezca – no permanezca 4. Siéntese – no se siente 5. venga – no venga 5. óigalo – no lo oiga 7. vaya – no vaya 8. vuelva – no vuelva 9. cuéntemelo – no me lo cuente 10. Dígamelo – no me lo diga 11. envíenoslo – no nos lo envíe

5. 1. En, a 2. por 3. en 4. con 5. de 6. a 7. por (*n.* para) 8. a, en 9. en 10. por 11. a 12. a 13. en 14. a 15. para 16. del, a 17. en

6. 1. Creo que sí. Creo que no. ¿Usted también cree que no? 2. ¿En qué piensa usted? No pienso en nada. 3. Creo que el parque del Retiro está bastante lejos. 4. Creo que empieza a llover. 5. No pienso tomar un taxi. 6. No pienso subir a su casa. 7. No pienso hacer nada. 8. No pensamos salir. 9. Nadie le cree. Yo tampoco le creo. 9. ¿Tiene usted fiebre? – No creo. 10. Pienso en usted (ustedes, vosotros).

7. 1. Que te diviertas. Sí, me divertiré *n.* voy a divertirme. 2. ¿Se divierte usted? 3. Es un programa divertido. 4. Que comiencen *n.* empiecen. 5. Que dejen de hacer ruido. 6. Que (le) aproveche. 7. Que no caigas. 8. Ponga *n.* Pongan cuidado. 9. Que le vaya bien. 10. Mis fotos salieron bien. 11. Voy a sacarle una foto, ¿quiere? 12. Póngase al lado (*n.* delante) de aquella estatua, más adelante ... sonría ... no se mueva. 13. ¿Le interesaría (*n.* Tendría usted interés en) visitar el Museo del Prado? 14. ¿Ya vio usted el monumento a los caídos en la Segunda Guerra Mundial? 15. En la Unión Europea existe el IVA (impuesto sobre el valor añadido).

8. Málaga – Sevilla – Cádiz – Granada

32

3. ¿Quiere usted que 1. reserve 2. busque 3. consulte 4. pregunte 5. nos quedemos 6. le lleve 7. le espere 8. ponga 9. nos veamos 10. les ayude 11. me siente 12. venga ...?

4. **a)** (Quiero que) 1. descanses 2. madrugues 3. llames 4. pases 5. te sientes 6. te levantes 7. me acompañes 8. vengas 9. me digas 10. les ofrezcas 11. pongas

b) (Quiero que) 1. abra 2. escoja 3. reserve 4. lo pague 5. se aloje 6. les escriba 7. repita 8. incluya

c) Es necesario que 1. bajemos 2. regresemos 3. pasemos 4. llamemos 5. le demos nuestra 6. compremos 7. convengamos 8. busquemos

d) Será mejor 1. que busquéis 2. que toméis 3. que comencéis 4. que escojáis lo que más os 5. que sirváis 6. que sigáis 7. que durmáis 8. que os vayáis 9. que lo digáis 10. que deis vuestra 11. que os apresuréis

5. 1. que regreses, regreséis, regrese usted, regresen ustedes 2. que procures, procuréis, procure usted, procuren ustedes 3. que olvides, olvidéis, olvide usted, olviden ustedes 4. que le prestes, prestéis, preste usted, presten ustedes 5. que le entregues, entreguéis, entregue usted, entreguen ustedes 6. que le des, deis, dé usted, den ustedes 7. que vengas, vengáis, venga usted, vengan ustedes 8. que te vayas, os vayáis, se vaya usted, se vayan ustedes 9. que te sientes, os sentéis, se siente usted, se sienten ustedes

6. ¿Permite usted que 1. abra 2. cierre 3. ponga 4. me siente 5. le ayude 6. la invite 7. haga 8. me presente 9. le presente...?

8. coches-cama, coches con literas, helados de chocolate, caldos de gallina, ensaladas de lechuga, coches-restaurante, tarjetas de visita, cubalibres, zumos de naranja

9. 1. Lo terminamos ayer. 2. La vimos ayer. 3. Las hice ayer. 4. Se lo traje ayer. 5. Me la compré ayer.

10. 1. Escribe que llegará el 1.º de junio, que vayamos a esperarle a la estación. 2. Prefiero ir solo. 3. ¿Prefieres que venga solo? 4. Podemos pasar al andén. 5. ¿Dónde está la escalera mecánica que da acceso a los andenes 2 y 3? 6. Un ferroviario dijo que el directo de París traía cuarenta minutos de retraso; entraría al andén 4, vía 8. 7. ¿A qué hora sale el próximo expreso para (*n.* con destino a) Irún? 8. Les deseo que sean muy felices. 9. Quiero que lo veas con tus propios ojos. 10. Hoy no es jueves sino viernes. 11. Este tren no tiene coches-cama sino solamente coches con literas. 12. Los trenes ómnibus no son directos, sino que paran en numerosas estaciones.

33

3. **a)** Me alegro de que 1. no sea 2. estén 3. se quede 4. no tenga 5. no me hagas 6. puedan 7. se sienta 8. no se vayan

b) Siento que 1. leas 2. continúe 3. usted no piense 4. no quiera 5. le duelan 6. esté 7. no podamos

c) Me extraña que 1. no se haya casado 2. no hayan venido 3. no les hayan avisado 4. no le hayan hecho 5. no se haya hecho 6. no se hayan aburrido 7. se hayan divertido

d) Espero que 1. no perdamos 2. haga 3. no llueva 4. podamos 5. regresen 6. volvamos 7. tengamos 8. nos avisen 9. no traiga 10. esté

e) Puede que 1. sea 2. baje 3. tenga 4. me receten 5. me pongan 6. no quieran 7. hayas guardado

f) No creo que 1. sea 2. sepas 3. volvamos 4. quieran 5. haya 6. les hayan escrito

4. 1. vengan 2. termine 3. sienta 4. pida 5. diga 6. tengan 7. suban 8. venga 9. haya sido 10. haya hecho 11. hayas podido 12. haya sabido 13. haya tenido

5. 1. Quizás sean anginas. 2. Quizás no sea nada grave. 3. Quizás mejore el enfermo. 4. Quizás le receten antibióticos. 5. Quizás esperen hasta mañana. 6. Quizás te llame esta noche. 7. Quizás repita la llamada más tarde. 8. Quizás cenemos esta noche en el hotel. 9. Quizás bebamos un poco de vino. 10. Quizás alquilemos una habitación cerca de la playa. 11. Quizás nos quedemos varios días.

6. **a**) 1. Que te pongas 2. Que me des 3. Que vayas 4. Que me traigas 5. Que me hagas 6. Que me traduzcas 7. Que te sientes 8. Que repitas 9. Que le pidas 10. Que duermas

b) 1. Que se ponga 2. Que me dé 3. Que vaya 4. Que me traiga 5. Que me haga 6. Que me traduzca 7. Que se sienta 8. Que repita 9. Que le pida 10. Que duerma

7. estoy bien (mal), estoy mejor (peor) – me he puesto (*n.* me puse) el termómetro – tengo 39 grados de fiebre – me duele el estómago (la cabeza, la espalda, todo el cuerpo) – sudo mucho – el médico me examinó – tengo que guardar cama – tengo que tomar antibióticos – debo comprar aspirina con vitamina C – debo comer muchas vitaminas – mañana ya me levantaré – el lunes me harán una radiografía – dentro de ocho días volveré a mi trabajo

8. 1. Lo dudo. Dudo que esté en casa. No lo dude. 2. Tiene usted que guardar cama. 3. No sé donde he guardado mi boina. ¿Ha buscado usted en el armario? 4. ¿Qué le pasa? ¿No puede usted andar? – Me he roto una pierna. 5. Esta taza está rota. Déme otra. 6. ¿Está usted seguro? – Sí, estoy seguro. 7. Le ruego que me dé la dirección de un buen médico. 8. Me duele la garganta (*n.* Tengo dolor de garganta). Me parece que tengo anginas. Me duele aquí ... y aquí ... 9. Póngase el termómetro. ¿Tiene fiebre? ¿Cuántos grados tiene usted? – Treinta y siete grados, ocho décimas. 10. ¿Cuándo volverá usted a verme, doctor? – Mañana por la mañana. Dentro de dos días. El jueves. 11. ¿Estas pastillas (*n.* Estos comprimidos) se toman antes o después de comer? 12. ¿Qué dice el médico? – Que no fume, que duerma ocho horas y que haga gimnasia. 13. Me alegro (*n.* Estoy contento) de haber visto Madrid. – Me alegro (*n.* Estoy contento) de que usted haya visto Madrid.

34

2. Dijo que 1. empezaras, empezara usted 2. te mejoraras, se mejorara usted 3. esperaras, esperara usted 4. le pagaras lo que le debías, le pagara usted lo que le debía 5. la dejaras, la dejara usted 6. tuvieras, tuviera usted 7. prosiguieras, prosiguiera usted 8. volvieras, volviera usted 9. utilizaras, utilizara usted 10. obligaras, obligara usted

3. Jaime dijo que 1. no buscaras más. 2. no gritaras tanto. 3. no tardaras en contestarle. 4. no lo dudaras. 5. no lo hicieras. 6. no les dijeras nada. 7. no te extrañases. 8. no te enfadases. 9. no te preocupases. 10. no te retrasases. 11. no se lo prohibieses. 12. no te fueses aún. 13. no siguieses planteando siempre los mismos problemas.

4. **a)** Sí, queríamos que 1. viniera usted pronto. 2. saliera usted más tarde. 3. empezara usted. 4. firmara usted el original y las dos copias. 5. reservase usted una litera. 6. se alojase en un hotel. 7. incluyera usted sus gastos de viaje. 8. regresara usted por Irún. 9. tomase usted el directo de Córdoba. 10. siguiese usted estudiando.

b) Sí, era necesario que 1. guardáramos 2. descansáramos 3. durmiéramos 4. trabajáramos 5. comprásemos 6. vendiésemos 7. lo dijésemos a nuestros padres.

5. Temí que esto perjudicara 2. Quería que le hicieran 3. El Gobierno dispuso que subieran 4. El banco exigió que vinieras 5. Los obreros deseaban que mejorasen 6. Me alegré de que me acompañases 7. Sentí que no pudieras 8. Era posible que... quedara 9. Era probable que los metalúrgicos también se declarasen

6. Permite usted que 1. invite 2. lo escriba 3. repita 4. ponga 5. apague 6. reduzca

7. 1. quién 2. Qué 3. Qué 4. Qué 5. Cuántos 6. Cuántas 7. Qué, Cuál 8., 9., 10. Qué, Cuál

9. 1. Era necesario que lo supieras. 2. Sin embargo, no era posible que te lo dijera antes. 3. Les escribí que vinieran a esperarme al aeropuerto. 4. Dígale que me espere. – Ya le dije que le esperase, 5. Pedí a Lola que me ayudase. 6. El médico tenía (*n.* tuvo) miedo que fuese una pulmonía. 7. Me obligaron a pagar. Me vi obligado a pagar. 8. La vida privada de mis compañeros de trabajo no me interesa. 9. Parece que Antonio no tiene interés en ganar más. 10. ¿Cuál es el salario mínimo en vuestro (*n.* su) país? 11. El conductor chocó contra un árbol y se mató. 12. ¿Qué reivindicaciones plantearon los sindicatos? 13. No planteé este problema, porque no me parecía importante.

35

2. 1. para visitar el Museo del Prado. 2. para felicitar a María. 3. para ver el panorama de los Pirineos. 4. para enseñarlas a los amigos. 5. para ser intérprete. 6. para tocar la música española. 7. para cambiarme. 8. para invitarle a cenar.

3. 1. para que pudiera *n.* pudiese verle mejor. 2. para que conocieran *n.* conociesen el Sur de España. 3. para que nadie los viera *n.* viese. 4. para que viniérais *n.* viniéseis antes. 5. para que no le faltara *n.* faltase nada a mi familia. 6. a fin de que tuviera *n.* tuviese la colección completa. 7. a fin de que lo supiera *n.* supiese. 8. sin que me dieran *n.* diesen el dinero que me debían. 9. a fin de que los mejores hispanistas pudieran *n.* pudiesen estudiar en universidades españolas.

4. 1e, 2ch, 3d, 4b, 5g, 6a, 7f, 8c

5. 1. en 2. a 3. en 4. para 5. de 6. a 7. con 8. en 9. contra 10. en 11., 12., 13. a 14. A 15. por 16. hacia, de

6. casa, casarse, casado – volver, vuelta, devolver, envolver – conocer, conocido, conocimiento, desconocer – nombrar, nombre – viajar, viaje, viajero – alegre, alegría, alegrar(se) – empeorar, peor – mejorar, mejor, mejora

7. *(Správné odpovědi:)* 1. Venezuela 2. primer 3. México 4. colombiano 5. Cortés 6. Francia 7. árabe 8. Francia 9. Alcalá de Henares 10. San Sebastián

8. 1. el 2. lo 3. la 4. lo 5. lo 6. las 7. lo 8. La, la 9. lo

9. 1. Trabajo de intérprete en conferencias internacionales. Traduzco del español e inglés al checo. 2. El aceite de oliva es muy sano. 3. En muchos pueblos españoles hay lavaderos públicos. 4. El aprendizaje de un buen metalúrgico dura tres años. 5. La cría de ganado acarrea grandes gastos.6. A la hora que más pica el sol pasan la siesta durmiendo. 7. El sol ya no pica tanto. 8. Cuidado que no le piquen los mosquitos. 9. Tengo hinchada la pierna derecha. 10. Tengo un callo en la mano izquierda. 11. ¿A quién le toca? – Ahora me toca a mí. 12. ¿Sabe usted tocar el piano? – De joven tocaba el piano, pero ahora ya no tengo tiempo.

36

2. 1. ¡Qué lástima que no puedas acompañarnos! 2. Me extraña que el tren no haya llegado todavía. 3. No te perdono que no hayas venido a visitarnos. 4. Me alegro que hayan descubierto un buen medicamento contra la gripe. 5. Le agradezco que me haya ayudado a solucionar el problema. 6. Lamentamos que no hayamos podido asistir al partido de fútbol. 7. Tengo miedo de que nuestro perro se haya perdido. 8. No creo que no se haya despedido de sus colegas. 9. Me sorprende que la película española haya ganado el primer premio en el festival de San Sebastián.

4. 1. que su novio se hubiera *n.* hubiese despedido 2. que le hubieran *n.* hubiesen dado 3. que no se hubiese *n.* hubiera fijado 4. que se hubieran *n.* hubiesen comprado 5. de que la fiesta nos hubiese *n.* hubiera gustado 6. que lo hubiera *n.* hubiese hecho esperar 7. de que la reunión hubiera *n.* hubiese terminado 8. que se hubiera *n.* hubiese equivocado 9. que no la hubieran *n.* hubiesen invitado

5. 1.Ojalá se vayan. 2. Ojalá deje de llover. 3. Ojalá sean felices

4. Ojalá volvamos a vernos 5. Ojalá siga mis consejos. 6. Ojalá toquen un cha–cha. 7. Ojalá tenga suerte. 8. Ojalá termine pronto esa fiesta.

6. 1. Ojalá se le ocurriera / hubiera ocurrido llamarnos. 2. Ojalá no lo supiera / hubiese sabido. 3. Ojalá fuera / hubiera sido así. 4. Ojalá estuviese / hubiese estado presente. 5. Ojalá vinieran / hubieran venido a tiempo.

7. 1. como si tuvieran 2. como si tuviese 3. como si buscara 4. como si quisiera 5. como si no supiese 6. como si hiciera 7. como si estuvieran 8. como si estuviesen 9. como si se despidiera

8. 1. como si ganara / hubiese ganado 2. como si no me conociese / no me hubiese conocido. 3. como si fueran / hubieran sido 4. como si no pasara / no hubiera pasado 5. como si tuviese / hubiese tenido 6. como si no nos vieran / no nos hubieran visto

9. 1. hay, Hay, hay 3. hay (*n.* habrá) 4. Hubo (*n.* Había) 5. hubo 6. hay (*n.* ha habido) 7. había 8., 9. hay 10. había 11. habría 12. había habido 13. había *n.* habría 14. hubieras

10. 1. Los hijos de nuestro vecino tienen muchos juguetes para jugar. Juegan con muñecas. 2. La hija de un amigo nuestro toca la guitarra. 3. Todas las noches jugamos al ajedrez. 4. La radio no funciona. 5. ¿Qué ponen (*n.* echan) en el Ópera? 6. ¿Qué ocurrió aquí? 7. ¿Qué le ocurrió (*n.* pasó)? 8. No se me ocurre nada extraordinario. 9. ¿En qué año nació usted? 10. Compramos un mapa de España y una guía de Madrid. 11. En La Habana tuvimos una guía que sabía checo. Había estudiado en Praga. 12. Quiero comprar un par de medias. 13. Algunas parejas bailaban muy bien bailes latinoamericanos. 14. ¡Ojalá haga mañana buen tiempo! 15. Les deseo que tengan buen viaje. 16. Habla español como si hubiera pasado varios años en España.

11. 1. Kdo včera lhal, tomu se ani zítra nevěří.
2. Bez práce nejsou koláče.
3. Tichá voda břehy mele.
4. Lepší vrabec v hrsti, než holub na střeše.
5. Kdo hned dává, dvakrát dává.
6. Sliby se slibují, blázni se radují.

37

2. 1. quepo 2. caben 3. Cabemos 4. cabían 5. cabe 6. quepa 7. cabe 8. Cabe

3. 1. Le ordeno que salga de mi despacho. 2. Le exijo que pague la cuenta. 3. No le permito que use esta sartén. 4. Te prohíbo que vengas esta tarde. 5. Te suplico que me des más dinero. 6. Te pido que me hagas un favor. 7. Te recomiendo que leas este libro de cocina. 8. Os invito a que asistáis al acto de la Academia. 9. Os aconsejo que no comáis carne frita. 10. Os ruego que no os pongáis nerviosos.

4. 1. Vídám ji, když chodí k sestře. – Uvidím ji, až přijde k sestře. 2. Jakmile přijeli do Madridu, hledali si ubytování. – Jakmile přijedou do Madridu, budou si hledat ubytování. 3. Kdykoli jedu (*n.* letím) do Havany, ubytuji se v hotelu Nacional. – Kdykoli pojedu (*n.* poletím) do Havany, ubytuji se v hotelu Nacional. 4. Dokud mohl pracovat, pracoval. – Dokud můžeš (*n.* budeš moci) pracovat, pracuj. 5. Byli šťastni, dokud žili jejich rodiče. – Budou šťastni, dokud budou žít jejich rodiče. 6. Píše nám, kdykoli může. – Napíše nám, kdykoli *n.* vždycky když bude moci. 7. Opakoval to, až to všichni pochopili. – Bude to opakovat, až to všichni pochopí.

5. 1. Cuando salgas ... 2. Cuando vayas ... 3. Cuando tenga ... 4. Cuando haga ... 5. Cuando vaya ... 6. En cuanto le vea ... 7. En cuanto venga ... 8. En cuanto regrese ... 9. Tan pronto regrese ... 10. Mientras esté ...

6. 1. Cuando Margarita venga a Madrid, la veré. 2. Cuando sepa bien el español, haré traducciones. 3. Cuando regrese mi mujer, saldré yo. 4. Cuando haga sol, nos bañaremos en el mar. 5. Cuando la tortilla esté frita, la pasaré a un plato. 6. Cuando el aceite esté caliente, añadirás las patatas. 7. Cuando tenga un momento libre, iré a verle. 8. Cuando Diego me escriba, te lo diré. 9. Cuando cobre el sueldo, pagaremos las deudas.

7. 1. Dijo que vendría a vernos en cuanto tuviese un rato libre. 2. Dijo que no pagaría esa cuenta hasta que no cobrara el sueldo. 3. Dijo que me acompañaría hasta que llegase mi tren. 4. Dijo que me llamaría en cuanto volviese a Praga. 5. Le prometió que le prestaría el diccionario en cuanto no lo necesitara. 6. Aseguró a su mujer que consultaría al médico apenas sintiera dolores 7. Repetía que me devolvería el libro de Cela en cuanto volviésemos a vernos. 8. Escribía que me pagaría, en cuanto recibiese algún dinero.

8. 1. cuento 2. cuente 3. contaba 4. conté 5. llega 6. llegó 7. llegue 8. llegaba 9. llegara 10. vienen – se van 11. vinieron – se fueron 12. vengan – se vayan

9. americano – cubano – mexicano – turístico – ideal – industrial – mundial – musical – personal – dorado – artístico – cómodo – feliz – gracioso – interesante – joven – central – agrícola – rico – policíaco – nublado – caliente

10. 1. Me sobra el tiempo, puedo acompañarte hasta la facultad 2. ¿Cree / creéis que cabemos *n.* cabremos todos aquí ? 3. No me cabe en la cabeza, cómo ha sido posible. 4. Lo hará, no te quepa la menor duda. 5. Cabe (*n.* Hay que *n.* Es necesario) hacerlo ahora mismo. 6. Espere aquí hasta que vuelva. 7. Vengan cuando quieran. 8. Siempre que le veo, sonríe. 9. Siempre que tengan tiempo vengan a vernos. 10. Cuando la vea, déle mis recuerdos. 11. Escríbame cuando vuelva (*n.* regrese) a su país.

38

2. 1. Ojalá llueva 2. Ojalá abran 3. Ojalá nos inviten. 4. Ojalá toquen 5. Ojalá gane 6. Ojalá sea 7. Ojalá ocupe 8. Ojalá no me equivoque. 9. Ojalá haya 10. Ojalá se queden 11. Ojalá funcione 12. Ojalá no se emborrachen. 13. Ojalá lleguen

3. 1. Espero que me concedan 2. Espero que haga 3. Espero que salgan 4. Me alegro de que pueda 5. Deseo que mi estancia me ayude 6. Temo que sea 7. Temo que esta máquina tenga 8. Dudo de que sea 9. Dudo de que sepan 10. No creas de que el trabajo sea 11. Le rogamos que nos envíe

4. 1. que dijeras *n.* dijeses 2. que me acompañara *n.* acompañase usted. 3. que me regalara *n.* regalase 4. que todo saliera *n.* saliese 5. que viniera *n.* viniese 6. que vinieran *n.* viniesen 7. que volviéramos *n.* volviésemos 8. que nos llevaran *n.* llevasen

5. 1. lo que quiera 2. lo que necesiten 3. donde haya 4. lo que haya visto 5. que sea 6. que vengan 7. los que quieran 8. que hable – que hablan 9. lo que diga

6. 1. No había quien pudiera *n.* pudiese realizarlo. 2. Me pidieron que les hiciera *n.* hiciese fotocopias de todo lo que escribiera *n.* escribiese. 3. Le dijo que le daría todo lo que quisiera *n.* quisiese. 4. Estaban obligados a hacer todo lo que fuera *n.* fuese necesario para ir viviendo. 5. No había nadie que supiera *n.* supiese ayudarme. 6. Quería prepararos una tortilla que fuera *n.* fuese igual a como la preparaban en España.

7. 1. Diga lo que diga 2. Haga lo que haga 3. cueste lo que cueste 4. Venga quien venga 5. Sea quien sea 6. Sea como sea 7. Quieras o no quieras

8. 1., 2. Qué 3. Cuál 4. Qué 5., 6. Cuál 7. Qué 8. Cuál 9., 10. Qué 11. Cuál 12., 13. Qué

9. cenar – firmar – formar – ayudar – dudar – entrar – luchar – preguntar – sembrar – segar – merendar – llover – responder – gastar – gustar – pagar – peinar – aumentar – besar – robar – usar – helar – comenzar – rogar – encontrar – contar – almorzar – volar – soñar

1. 1. Yo mismo amplío mis fotografías. Nosotros también las ampliamos. 2. ¿Hay una representación de la compañía de aviación española Iberia en Praga? 3. ¿Tiene usted el bachillerato? 4. ¿Sabe usted taquigrafiar? 5. El hecho es que tiene usted que perfeccionar aún su conocimiento de taquigrafía. 6. Hay que enviar un historial al departamento de personal. 7. Me haré hacer fotocopias de mi diploma universitario. 8. Tenemos que marcharnos (*n.* irnos). Hasta pronto. – Hasta cuando ustedes quieran. 9. Lo compraré, cueste lo que cueste. 10. Lo haré como usted quiere. – Lo haré como usted quiera. 11. La compañía española de aviación Iberia buscaba un empleado que supiera español e inglés.

2. 1c, 2d, 3f, 4a, 5g, 6e, 7b, 8h

39

3. **a)** 1. Si no vienes a tiempo, me marcharé. 2. Si tenemos tiempo libre, iremos a bailar. 3. Si me acuerdo, se lo diré. 4. Si me lo piden, se lo daré. 5. Si fumas menos, te sentirás mejor. 6. Si no lo comprende usted, se lo explicaré. 7. Si mañana no vienen, los llamaré. 8. Si se apresura usted, llegará a tiempo.

b) 1. Si tuviera mucho dinero, haría ... 2. Si lloviera, me quedaría ... 3. Si me enamorase de una muchacha, me casaría ... 4. Si ganásemos más dinero, compraríamos ... 5. Si no estudiara Derecho, estudiaría ... 6. Si hiciese buen tiempo, irían ... 7. Si encontrara al asesino, le detendría. 8. Si tuviese dolor de cabeza, tomaría ... 9. Si tuviera fiebre, tendría ...

c) 1. Si tuviera tiempo, podría ... 2. Si tuviéramos dinero, podríamos ... 3. Si hubiese alguien en casa, podríamos ... 4. Si hubiera sol, iríamos ... 5. Si hiciera frío, pondríamos ... 6. Si funcionase el ascensor, subiríamos ... 7. Si tuviesen teléfono, podríamos ...

4. 1. Si me diese tiempo, iría contigo. Si me hubiera dado tiempo, habría ido contigo. 2. Si madrugaras, no perderías el tren. Si hubieras madrugado, no habrías perdido el tren. 3. Si hiciera sol, saldría. Si hubiese hecho sol, habría salido. 4. Si nos escribiese, le contestaríamos. Si nos hubiese escrito, le habríamos contestado. 5. Si tuviese dinero, compraría un televisor en color. Si habría tenido dinero, habría comprado un televisor en color. 6. Si pudiese ayudarla, la ayudaría. Si hubiese podido ayudarla, la habría ayudado. 7. Si detuvieran al asesino, le condenarían a muerte. Si hubiesen detenido al asesino, le habrían condenado a muerte. 8. Si María hiciera más deporte, estaría más en forma. Si María hubiese hecho más deporte, habría estado más en forma.

5. *(Správné tvary:)* 1. tengo 2. tuviese 3. supiera 4. hubiéramos sabido 5. tapas 6. acompañas 7. fuese 8. hubiera conocido 9. hubiera sabido 10. hubiese ido

6. cómo je ve větách 1, 3, 4, 6, 7, 9, 12

7. 1. a, en 2. a, por. 3. Sin, en 4. para 5. bajo 6. a, de 7. entre 8. a 9. contra 10. de 11. Desde, a 12. a 13. de 14. de, de, de

8. 1. Se enamoró de un estudiante español de Derecho*. 2. ¿Se acuerda usted de Carmen? – No, no me acuerdo. 3. Su carné de conducir, por favor. 4. El vicedirector (subdirector, director adjunto) sabe varios idiomas extranjeros. 5. Tales ideas me son ajenas. 6. En este hotel viven sólo turistas extranjeros. 7. ¿Quiere

* Uvědomte si rozdíl: **un estudiante español de Derecho** španělský student práv a **un estudiante del Derecho español** student španělského práva.

usted ir al parque? – No, no me da la gana. 8. No me da la gana de discutir contigo. 9. Yo, en su lugar, no lo habría hecho. 10. Habría sido mucha responsabilidad. 11. Cualquier problema puede ser resuelto. 12. Cualquier día iré a verlo. 13. Si tengo posibilidad de visitarlos, lo haré. 14. Si tengo frío, tomaré otra colcha.

40

1. es 2. era 3. sea 4. fuese 5. hubiese sido 6. pueden 7. podían 8. puedan 9. pudieran 10. hubieran podido 11. sabían 12. saben 13. sepan 14. supiesen 15. hubiesen sabido 16. quiere 17. quisiera 18. hubiera querido

1. es 2. van a venir 3. dijo 4. ves 5. vamos 6. fuéramos 7. estuvieses 8. hubieses estado 9. hubiera sabido

1. Si yo estuviera en su caso ... 2. Si nosotros estuviéramos en su situación ... 3. Si nosotros hubiéramos estado en su situación ... 4. Si trabajase ... 5. Si tuviéramos ... 6. Si pasas ... 7. Si no sabe usted ... 8. Si recibes ...

a) 1. Habría salido, pero tenía fiebre. 2. Habría entregado la carta, pero el médico no estaba en la clínica. 3. Lo habría hecho, pero no me ha dado tiempo. 4. Habrían comprado la computadora, pero no tenían bastante dinero. 5. Habríamos encontrado el camino, pero no teníamos el plano de la ciudad.

b) 1. Habría salido, si no hubiera tenido fiebre. 2. Habría entregado la carta, si el médico hubiese estado en la clínica. 3. Lo habría hecho, si me hubiese dado tiempo. 4. Habrían comprado la computadora, si hubieran tenido bastante dinero. 5. Habríamos encontrado el camino, si hubiésemos tenido el plano de la ciudad.

1. – 5. más 6. tantos 7. Cuanto 8. como 9. Tanto 10. tanto, como

1. que 2. la que 3. al que 4. la que *n.* quien 5. que *n.* el que *n.* el cual 6. los que 7. las que 8. las que 9. al que *n.* al cual 10. la que 11. que, el que 12. el que *n.* el cual 13. el que *n.* el cual 14. el que *n.* el cual 15. la que *n.* la cual

1. No daba crédito (*n.* No creía) a mis ojos. 2. ¿Qué cargo tiene tu esposo (*n.* marido) en esa empresa? Tiene el cargo de vicedirector (*n.* director adjunto). 3. El gobierno fomenta la investigación

científica. 4. Todos los gastos corren a cargo del cliente. 5. Nuestro profesor se hizo cargo de dos cursos más. 6. ¿Cuántos alumnos asisten a los cursos de español? – Unos veinte. 7. En la enseñanza pública fueron (*n.* han sido) llevadas a cabo varias reformas. 8. Es una orden del director general. 9. No tiene ningún orden en sus cosas. 10. A pesar de que viaja bastante, no conoce Boloña ni París. 11. Aunque (*n.* A pesar de que) es rico, no es feliz. Aunque fuera (*n.* fuese) rico, no sería feliz.

41

5. 1., 2. es 3. Está 4. Es, está 6. es, es 7., 8. está 9. es 10. Son 11. fue 12. está 13. es 14. está, está 15. es 16. Están 17. Estoy 18. son 19. está

6. 1. Los nuevos precios fueron publicados por el ministerio. 2. El asesino fue visto por una vecina. 3. La novela "Cien años de soledad" fue escrita por Gabriel García Márquez. 4. La delegación de los estudiantes fue recibida por el vicerrector. 5. El cuadro "Guernica" fue pintado por Picasso. 6. La película "Los seis días de enero" fue dirigida por Antonio Bardem. 7. La novela "La casa de los espíritus", de Isabel Allende, fue traducida a numerosos idiomas.

7. 1., 2., 3. estamos 4. está 5. Es 6. Son 7., 8. es 9. Estamos 10. es, Es, Es

8. 1. El Ministerio de Asuntos Exteriores español me concedió una beca de tres meses. 2. Si nos dirigiésemos (*n.* Si recurriéramos) a un buen taller, tendríamos el coche en orden. 3. A mi regreso me encontré con que alguien había robado nuestro apartamento. 4. ¡Cuál no fue mi sorpresa al encontrar la puerta abierta! 5. Lo mejor sería aparcar cerca de (*n.* junto a, al lado de) la Casa Consistorial. 6. ¿Hay hoy alguna reunión? 7. Todos están contra él. 8. Esta música es muy melancólica. 9. Parece que estás melancólico. Todo el tiempo estás suspirando. 10. ¿Qué te comprará tu padrecito? ¿Te comprará un trenecito eléctrico?

42

1. 1. dos largos años 2. su coche recién comprado 3. la triste historia 4. una cosa interesante 5. una estatuilla barroca de ángel 6. mi boina negra 7. bonitas fotos

2. 1. Los propios funcionarios municipales 2. un difícil problema económico 3. las mejores películas españolas 4. una película francesa buenísima 5. dos tremendos golpes mortales

3. 1. el mismo día 2. él mismo 3. el mismo color 4. de mayor importancia 5. Su hijo mayor 6. la menor sospecha 7. Mi hermano menor 8. Pobre Jacinto 9. una familia pobre 10. los habitantes pobres 11. algún resultado, resultado alguno (*n.* ninguno) 12. medio kilo 13. el salario medio 14. varios días 15. varios libros 16. libros varios 17. un simple empleadillo

5. 1. – 2. la 3. –, los, la 4. –, una 5. –, la, la, del 6. los, de El 7. La, al, del 8. El, al, la 9. una, –, la, – 10. los del –, – 11. El – 12. un, la 13. el, la 14. – 15. los 16. un, – 17. el

6. 1. con el cual 2. lo que 3. a la cual 4. Las que 5. los que 6. de los 7. de los que 8. en el que 9. del cual 10. de las cuales 11. Lo que 12. de lo que

7. 1. Habiendo terminado 2. Habiendo escrito 3. Habiendo vivido 4. Habiendo perdido 5. Habiéndome roto

8. **a)** 1. Quédate. – ¿Se quedará usted? Quédese. 2. Créeme. – ¿Me creerá usted? Créame, 3. Créelo. – ¿Lo creará usted? Créalo. 4. Piénsalo. – ¿Lo pensará usted? Piénselo. 5. Consíguelo. – ¿Lo conseguirá usted pronto? Consígalo. 6. Duérmete. – ¿Se dormirá usted? Duérmase. 7. Tradúcelo. – ¿Lo traducirá usted enseguida? Tradúzcalo. 8. Vuelve a llamarme. – ¿Volverá usted a llamarme? Vuelva a llamarme.

b) 1. ¿Puedes presentármele? Preséntamele. – ¿Me le presentará usted? ¿Puede usted presentármele? Preséntemele. 2. ¿Puedes enviármelo? Envíamelo. – ¿Me lo enviará usted? ¿Puede usted enviármelo? Envíemelo. 3. ¿Puedes ofrecérselo? Ofréceselo. – ¿Se lo ofrecerá usted? ¿Puede usted ofrecérselo? Ofrézcaselo. 4. ¿Puedes envolvérmelo? Envuélvemelo. – ¿Me lo envolverá usted? ¿Puede usted envolvérmelo? Envuélvamelo. 5. ¿Puedes servírmelo? Sírvemelo. – ¿Me lo servirá usted? ¿Puede usted servírmelo? Sírvemelo. 6. ¿Puedes decírselo? Díselo. – ¿Se lo dirá usted? ¿Puede decírselo usted? Dígaselo usted. 7. ¿Puedes pedírselo? Pídeselo. – ¿Se lo pedirá usted? ¿Puede usted pedírselo? Pídaselo. 8. ¿Puedes repetírmelo? Repítemelo. – ¿Me lo repetirá usted? ¿Puede usted repetírmelo? Repítamelo.

9. **a)** 1. Me alegro de que esté usted contento. 2. Siento que tenga usted dolor de cabeza. 3. ¿Ellos prefieren que se lo digas personalmente? 4. ¿Su familia desea que sea diplomático? 5. ¿Le recomendará usted que vaya al dentista? 6. ¿Le piden que los examine personalmente? 7. Será mejor que tomemos el avión.

b) 1. Me alegré de que estuviera / estuviese usted contento. 2. Sentí que tuviera / tuviese usted dolor de cabeza. 3. ¿Ellos preferían (*n.* prefirieron) que se lo dijeras / dijeses personalmente? 4. ¿Su familia deseó (*n.* deseaba) que fuera / fuese diplomático? 6. ¿Le recomendó usted que fuera / fuese al dentista? 7. Era mejor que tomáramos / tomásemos el avión.

10. 1. ¿Cuánto tiempo lleva usted en España? 2. ¿Cuánto tiempo lleva usted estudiando el español? – Más o menos dos años. 3. Pero usted habla muy bien. ¿Ha visitado ya España? – Sí, el año pasado pasé un mes en Madrid. 4. Ya llevo ochenta páginas. 5. ¿No sabe usted, por dónde se entra en el Ministerio de Hacienda? 6. Se convirtió en uno de los mejores directores de cine españoles. 7. Sus películas (*n.* filmes) despertaron gran interés en el mundo entero. 8. Todo el mundo trató de abandonar el hotel por la salida de emergencia. 9. La Cancillería de España tiene su propio edificio a cinco minutos de la parada del metro. 10. El jurado examinó treinta aspirantes al diploma de la lengua española. 11. Cálmese, no ha pasado nada. 12. ¿Dónde se reúnen ustedes? – Nos reunimos en un pequeño café en la Plaza de la Merced.

43

1. tú, Gregorio, habrás terminado – todo el mundo habrá terminado – nosotros habremos terminado – todos habrán terminado

4. 1. será, es 2. necesitará, necesita 3. estará, está 4. se quedará, se queda 5. estará, está

5. 1. estará, esté 2. se quedará, se quede 3. estará, esté 4. se intereín, se interesen 5. nos acompañarán, nos acompañen

7. 1. Necesito el del ... 2. ¿Cuál es la de ...? 3. Me interesan las de ... 4. Prefiero la de ... 5. Preferimos la ... 6. Enséñeme las de ... 7. Déme la de ...

8. 1. Ojalá me haya equivocado. 2. Ojalá hayan llegado 3. Ojalá los hayan esperado 4. Ojalá hayan encontrado 5. Ojalá no haya perdido 6. Ojalá hayan derrotado 7. Ojalá no haya sufrido 8. Ojalá se haya salvado.

9. 1. de 2. En, en, de 3. entre 4. al, de 5. De, en, de 6. A, por 7. en; al, por 8. de, por 9. de, con 10. de, por 11. hacia 12. hacia 13. de 14. a 15. de, a 16. – 17. – 18. en 19. a, a 20. de

0. 1. En el año (de) 1808 empezó en España la Guerra de la Independencia. 2. Las tropas del invasor ocuparon el país. 3. El movimiento de resistencia se extendió por todo el país. 4. Los guerrilleros supieron aprovechar bien su conocimiento del terreno. 5. Las tropas del enemigo sufrieron una gran derrota. 6. En el año (de) 1931fue proclamada la República Española. 7. Durante la guerra civil española fueron creadas las Brigadas Internacionales. 8. Los combatientes de las Brigadas Internacionales lucharon heroicamente contra las tropas fascistas. 9. La ofensiva de los aliados puso fin a la II (Segunda) Guerra Mundial. 9. La Alemania nazi fue derrotada. 10. Durante la ocupación nazi, millones de personas perecieron en las cárceles y los campos de concentración.

44

2. 1. – 2. desde 3. – 4. hace 5. en 6. a, de 7. por 8. desde, hasta

3. 1. por, por 2. por 3. para 4. por 5. para 6. Por 7. para, por 8. Por 9. para 10., 11., 12. por 13. Para 14. Por, por 15. para

4. 1. Los niños juegan en el jardín para que sus padres puedan verlos (jugaban... para que pudieran / pudiesen) 2. Le envío mi dirección para que me escriba (envié... para que me escribiera / escribiese) 3. Voy a salir para que puedas estudiar (Iba a salir para que pudieras / pudieses). 4. Se marchará del examen para que no la suspendan (Se marchó... para que no la suspendieran / suspendiesen). 5. Están aquí sus amigos para que les enseñe la ciudad (Estuvie-

5. Están aquí sus amigos para que les enseñe la ciudad (Estuvieron... para que les enseñara / enseñase). 6. Los guerrilleros se refugian en los montes para que el ejército no los descubra (se refugieron... para que no los descubriera / descubriese). 7. Llama a los bomberos para que le ayuden (Llamó... para que le ayudaran(ayudasen). 8. El accidentado llama "¡Socorro!" para que la gente acuda a salvarle (llamó para que la gente acudiera / acudiese a...).

5. 1. me desperté, era 2. fui, tenía 3. había, dimos 4. visité, era 5. vimos, gustó 6. vivíais, tenía 7. pudo, había 8. se casó, tenía

6. 1. habías ido 2. había puesto 3. había amanecido 4. había salido 5. habíamos desayunado 6. habían recomendado

7. 1. hasta que se recupere 2. antes de que huya 3. sin que nos ayude 4. cuando la pida 5. sin que nadie lo esperase / esperara 6. de lo que esperábamos 7. sea 8. que no me esperen, que no me esperaran / esperasen 9. cuando nos vayamos a almorzar 10. que no sea, que está

9. 1. ¿Adónde lleva este camino? 2. Descendimos por un sendero a través del bosque. 3. En las autopistas francesas se paga también peaje. 4. De Madrid a Toledo no hay autopista sino sólo carretera. 5. La velocidad máxima en la carretera es de 80 Kms por hora. 6. El equipo de aire acondicionado no funciona. 7. El equipo del Real Madrid jugará contra el Ajax de Amsterdam. 8. Los ladrones robaron varios millones de pesos mejicanos. 9. Un jubilado encontró una cartera y la entregó en la comisaría de policía. 10. Estudia el inglés (desde hace) varios meses y no sabe nada, ni siquiera leer.

Autokorektivní test

1. **a)** ¡No haga ruido! Va a despertar al niño. (s. 50, 87*)

2. **c)** ¿Dónde es la boda? – En la Casa Consistorial, que está cerca de aquí. (s. 357)

3. **d)** Aquí es, donde mi marido y yo nos conocimos hace diez años. (s. 357)

4. **b)** Ven a verme otro día, hoy estoy ocupado. (s. 239)

5. **c)** En la plaza siempre hay mucha gente. (s. 80)

6. **a)** Hoy hace mucho viento. (s. 135)

7. **b)** ¿Dónde está María Luisa que no la veo? (s. 73, 146)

8. **c)** Él no está contento, pero eso no nos importa. (s. 73, 145)

9. **b)** ¿Te gusta ese pañuelo? Es un regalo para ti. (s. 168)

0. **b)** Lo que han hecho por mí no lo olvidaré jamás. (s. 385, 146)

1. **c)** ¿Qué edad tiene? ¿Cuántos años tiene? (s. 178)

2. **d)** El viaje me costó más caro de lo que pensaba. (s. 138)

3. **c)** Ángela tardó más de lo normal. (s. 135)

4. **b)** Él tiene 25 años y ella, 23. Por lo tanto, ella es menor. (s. 136)

5. **c)** Es el mayor de la familia. (s. 136)

6. **b)** Cuanto más duermo, tanto más sueño tengo. (s. 137)

7. **c)** Hasta ahora, Alfonso ha sufrido mucho. (s. 220)

8. **a)** Conocía un muchacho, que tenía muchos discos argentinos. (s. 245)

9. **c)** Cuando entramos, el concierto ya había comenzado. (s. 238)

0. **a)** Estaba viendo el telediario cuando, de repente, alguien llamó a la puerta. (s. 192)

1. **c)** No se dio cuenta de que me había marchado. (s. 238)

2. **b)** Es una pena que no hayas aprobado. (s. 292)

ánka učebnice, kde je mluvnický jev probírán.

23. **c)** Puede que tenga usted razón. (s. 293)

24. **d)** No creí que viniera / viniese tan temprano. (s. 293)

25. **b)** En cuanto la vea, le daré tu recado. (s. 323)

26. **c)** Los estudiantes que no aprueben, tendrán que repetir el curso. (s. 331)

27. **d)** Siempre parecía como si no tuviera / tuviese nada que hacer (s. 316)

28. **c)** Se fueron sin que los viéramos / viésemos. (s. 308)

29. **a)** Si no salgo, no me ocurrirá nada. (s. 342)

30. **c)** Si supiera / supiese a que hora vendrán, los esperaría en el hotel. (s. 342)

ŠPANĚLSKO-ČESKÝ SLOVNÍK

A

a do; 3. a 4.p.; **al mes** za měsíc, měsíčně
abajo dole
abandonar opustit
abogado *m* advokát
abrazar obejmout
abrazo *m* objetí
abrigar přikrýt
abrigo *m* kabát; ~ **de pieles** kožich
abril *m* duben
***abrir (33)** otevřít
absoluto absolutní; **en ~** vůbec ne
abuela *ž* babička
abuelo *m* dědeček
aburrido nudný
aburrir(se) nudit (se)
acá tady, sem; **por ~** tady někde, sem
acabar skončit; ~ **de** + *inf.* právě něco udělat
academia *ž* akademie
académico akademický; *m* akademik
acariciar hladit, laskat
acarrear vozit, táhnout
acaso snad, třeba; **por si ~** pro každý případ
acceso *m* přístup; **dar ~ (a)** vést (do, k)
accidentado *m* oběť nehody
accidente *m* nehoda, úraz
aceite *m* olej; ~ **de oliva** olivový olej
aceituna *ž* oliva
aceptar přijmout
acera *ž* chodník
acercar(se) přiblížit (se)
acero *m* ocel
acompañar doprovázet, dělat společnost
aconsejar radit
acontecimiento *m* událost
***acordarse (ue,3) (de)** vzpomenout si (na)
acordeón *m* tahací harmonika
***acostar (ue,3)** uložit ke spánku, dát spát; **-se** lehnout si, jít spát
acostumbrado zvyklý
acostumbrar(se) zvyknout (si); být zvykem
acróbata *m* akrobat
actitud *ž* postoj, vztah, chování
activo aktivní
acto *m* akt; projev; čin; ~ **seguido** vzápětí, poté
actual aktuální, nynější
acudir přispěchat, dostavit se
acuerdo *m* dohoda, shoda; **estar de ~** souhlasit
adaptación *ž* adaptace, úprava
adaptar přizpůsobit, upravit
adecuado vhodný, příhodný
adelante vpřed, dále
además kromě (toho), navíc
adiós sbohem
adjuntar připojit
adjunto připojený (v příloze); zastupující
administrativo správní
admitir připustit
aduana *ž* celnice
aduanero *m* celník
***advertir (ie,i,6)** upozornit
aéreo letecký
aeromoza *ž* letuška
aeropuerto *m* letiště
afectar postihnout
afectuoso srdečný, milý, láskyplný
afeitar(se) holit (se)
afición (a) zaujetí, náklonnost, hobby
aficionado (a) *m* milovník, amatér, ochotník
aficionarse (a) zamilovat si
afilar nabrousit
afirmación *ž* tvrzení
África (el) *ž* Afrika
afuera venku, ven
agarrar popadnout, chytit
agencia *ž* agentura, kancelář
agente *m* agent, vykonavatel; ~ **de orden (público)** strážník; ~ **de Tránsito** dopravní strážník
agitar mávat
agolparse shluknout se, nahromadit se
agosto *m* srpen
agotar(se) vyčerpat (se), dojít, doprodat (se)
agradable příjemný
***agradecer (zc,8)** být vděčen, děkovat
agradecido vděčný
agradecimiento *m* vděk, vděčnost
agrícola zemědělský

agricultor *m* zemědělec
agropecuario zemědělsko-dobytkářský, rostlinný a živočišný
agua (el) *ž* voda
Agustín *m* Augustýn
¡ah! ach!
ahí tam
ahora teď, nyní; **por ~** zatím, prozatím
aire *m* vzduch: **~ acondicionado** klimatizace; **al ~ libre** pod širým nebem
aislar izolovat
ajeno cizí
ajo *m* česnek
Alaska *ž* Aljaška
albornoz *m* koupací plášť
alcalde *m* starosta
alcaldía *ž* radnice, obecní úřad
alcance *m* dosah; **estar al ~** být na dosah; **poner al ~** dát na dosah, zpřístupnit
alcanzar dosáhnout; podat
aldea *ž* vesnice
alegrar(se) radovat (se)
alegre veselý
alegría *ž* radost, veselí
Alejandro *m* Alexandr
alejar(se) vzdálit (se)
alemán německý; *m* Němec; němčina
Alfonso *m* Alfons
Alfredo *m* Alfréd
algo něco; **~ más** (o) něco víc
alguien někdo
alguno některý
aliado spojenecký; *m* spojenec
Alicia *ž* Alice
alimentar krmit, živit
alimenticio potravinářský, potravinový
aliviar ulehčit, zmírnit, utišit *(bolest)*; **-se** zotavit se
alma (el) *ž* duše
almacén *m* sklad; obchodní dům
almendro *m* mandloň
almíbar *m* sirup
***almorzar (ue,3)** obědvat
almuerzo *m* oběd
alojamiento *m* ubytování
alojar(se) ubytovat (se)
Alpes *mn.č.m* Alpy
alquilar pronajmout, najmout
alquiler *m* nájemné
alrededor (de) okolo, kolem; **alrededores** *mn.č.m* okolí
altavoz *m* tlampač, amplion
alterar změnit, porušit
alto vysoký, velký
altura *ž* výška
alumno *m* žák
alzar zdvihnout; **-se** povstat
allá tam; **más ~** dále, víc vzadu
allí tam
amable laskavý, milý
amabilidad *ž* laskavost
amador *m* milovník
***amanecer (zc,8)** rozednívat se
amar milovat, mít rád
amargo hořký
amarillo žlutý
ambiente *m* prostředí; nálada
ambos oba
amenazar hrozit, ohrožovat
América *ž* Amerika
americanismo *m* výraz používaný v Americe
americano americký; *m* Američan
amiga *ž* přítelkyně
amigo *m* přítel
amistad *ž* přátelství
amor *m* láska
***ampliar (í,34)** rozšířit
amplio široký, prostorný
Ana *ž* Anna
analfabetismo *m* negramotnost
analfabeto negramotný
análisis *m* rozbor
ancho široký; **a lo ~** po šířce
Andalucía *ž* Andalusie
andaluz andaluský; *m* Andalusan
***andar (11)** chodit; **~ perdido** být ztracen; **~ diciendo** (všude, stále) říkat
andén *m* nástupiště
Andes *mn.č.m* Andy
Andrés *m* Ondřej
ángel *m* anděl
angina *ž* angína
animación *ž* oživení, ruch
animar oživit; povzbudit
Anita *ž* Anička
anoche včera večer

***anochecer (zc,8)** stmívat se, šeřit se
ante před; ~ **todo** především
anteayer předevčírem
antena *ž* anténa
antepasado *m* předek
anterior dřívější
antes dříve; předtím; ~ **de que** dříve než; ~ **que nada** dříve než co jiného
antesala *ž* předsíň
antibiótico *m* antibiotikum
antigüedad *ž* starověk; starobylost; starožitnost
antiguo starobylý, starodávný, starý, dávný; dřívější; starožitný
Antillas *mn.č.ž* Antily
Antonio *m* Antonín
antropológico antropologický
anunciar ohlásit, oznámit
anuncio *m* oznámení; inzerát
añadir připojit, přidat
año *m* rok
apache *m* Apač
apagar uhasit; ~**la luz** zhasnout (světlo); ~ **la radio** vypnout rádio
aparato *m* přístroj
aparcamiento *m* parkování
aparcar zaparkovat
***aparecer (zc,8)** objevit se
apartamento *m* byt
apellido *m* příjmení
apenas sotva
aperitivo *m* aperitiv
***apetecer (zc,8)** mít chuť, chutnat
aplastar rozdrtit
aplazar odkládat
apoderarse (de) zmocnit se (*čeho*)
apreciar ocenit, vážit si, mít rád
aprender (a) učit se (*čemu*)
aprendiz *m* učeň
aprendizaje *m* učení, učňovská doba
apresurarse pospíšit si
***aprobar (ue,3)** složit zkoušku, uspět
aprovechar využít; **que (le) aproveche** ať slouží, dobré chutnání
aquel onen, tamten
aquí zde, tady; sem; **de** ~ odtud; **por** ~ tudy; tady
árabe arabský
Aragón *m* Aragon
árbol *m* **strom**
argentino argentinský; *m* Argentinec
arma *(el) ž* zbraň
armar ozbrojit
armario *m* skříň
arpa *(el) ž* harfa
arquitecto *m* architekt
arquitectura *ž* architektura
arriba nahoře, nahoru
arrojar hodit, odhodit
arroz *m* rýže; ~ **con leche** rýžová kaše
arte *m,ž* umění; **bellas artes** *mn.č.ž* výtvarné umění
articulado členěný
artículo *m* článek; (*mluvnický*) člen; výrobek; zboží
artista *m* umělec
artístico umělecký
asar péci
ascensor *m* zdviž, výtah
asco *m* hnus; **dar** ~ hnusit se; **tener** ~ hnusit si
asegurar ubezpečit, ujistit; tvrdit; pojistit
aseo *m* mytí, toaleta; **aseos** *mn.č.* umývárna, toalety
asesino *m* vrah
así tak; ~ **que** takže
asiento *m* místo (*sedadlo*); **tomar** ~ přijmout místo, sednout si
asignatura *ž* (*studijní*) předmět
asimismo stejně, také, rovněž
asistir (a) zúčastnit se, být přítomen
asno *m* osel
asociación *ž* sdružení
aspecto *m* hledisko, stránka
aspirante *m* uchazeč
aspirina *ž* aspirin
asturiano asturský
asunto *m* záležitost, věc
atacar napadnout, útočit
atar svazovat
atención *ž* pozornost, pozor
atento pozorný
aterrizar přistát
Atlántico *m* Atlantik
atracar přepadnout
atracción *ž* atrakce
atraco *m* přepadení

atrás dozadu, vzadu
***atravesar (ie,1)** přejít, přejet, přeplout, téci skrz
audiovisual audiovizuální
aula *(el)* *ž* aula, posluchárna, třída
aumentar zvětšit, zvýšit
aumento *m* zvětšení, zvýšení
aun dokonce i
aún ještě, dosud
aunque ač, ačkoli, přestože; i když, i kdyby
Austria *ž* Rakousko; *m* Habsburk
austriaco rakouský; *m* Rakušan
autobús *m* autobus
automóvil *m* automobil, auto
autónomo autonomní
autopista *ž* dálnice
autor *m* autor
autoridad *ž* autorita; úřad
auxilio *m* pomoc; **los primeros auxilios** první pomoc
avenida *ž* třída
avanzado pokročilý; pro pokročilé
aventura *ž* dobrodružství
aviación *ž* letectví, letectvo
aviador *m* letec
avícola drůbežářský
avión *m* letadlo
avisar ohlásit, podat zprávu, upozornit
aviso *m* ohlášení, oznámení, upozornění
ay ach
ayer včera
ayuda *ž* pomoc
ayudar (a) pomáhat
ayuntamiento *m* obecní rada; radnice
azafata *ž* letuška
azúcar *m,ž* cukr
azul modrý
azulejo *m* kachlík

B

bacalao *m* treska
bachillerato *m* maturita
bailar tančit
baile *m* tanec; bál
bajar jít *n.* jet dolů; vystoupit; snížit
bajo nízký; spodní; tichý
bajo pod
bala *ž* kulka
balance *m* bilance
balancín *m* houpací židle
balcón *m* balkon
balonpié *m* kopaná
ballet *m* balet
banca *ž* bankovnictví, banky
banco *m* banka
banquero *m* bankéř
bañar(se) koupat (se)
bañera *ž* vana
baño koupel; koupelna; **tomar un ~** vykoupat se
bar *m* bar, bistro
barato levný
barba *ž* vousy
barco *m* loď
barra *ž* pult; tyč; veka (*chleba*)
barrera *ž* bariéra
barrio *m (městská)* čtvrť
barroco barokní
bastante dost
bastar stačit, být dost
batería *ž* baterie; bicí nástroje
batir bít; šlehat *(bílek)*
baúl *m (velký)* kufr
beber pít
bebida *ž* nápoj
beca *ž* stipendium
becario *m* stipendista
belga belgický; *m* Belgičan
bello krásný
bellota *ž* žalud
beneficio *m* zisk, prospěch, užitek, výhoda
besar políbit
beso *m* polibek
biblioteca *ž* knihovna
bien dobře; **más ~** spíše
bienvenida *ž* přivítání; **dar la ~** přivítat
bienvenido vítán
billete *m* lístek; bankovka
bisté *m* biftek
bisutería *ž* bižuterie
blanco bílý
boca *ž* ústa
bocadillo *m* zákusek, sendvič
bocaza *ž* tlama, huba

boda *ž* svatba
bofetada *ž* políček
Bohemia *ž* Čechy
boina *ž* baret
bolígrafo *m* kuličkové pero
Bolonia *ž* Boloňa
bolsillo *m* kapsa
bolso *m* kabelka
bombardear bombardovat
bombero *m* hasič
bondad *ž* dobrota; **tenga la ~ (de)** buďte tak hodný
bonito hezký
borbón bourbonský
bordo *m* paluba; **a ~** na palubě
borracho opilý; *m* opilec
bosque *m* les
botella *ž* láhev
botica *ž* lékárna
boticario *m* lékárník
botón *m* knoflík
Brasil *m* Brazílie
brasileño brazilský; *m* Brazilec
bravo statečný; divoký; rozzlobený; **hacerse ~** rozzlobit se
brazo *m* paže
breve krátký
brigada *ž* brigáda
brindar (por) připít (na)
brisa *ž* vánek
broma *ž* žert
buceo *m* potápění, potápěčství
bueno dobrý, hodný
buey *m* vůl
bufanda *ž* šála
Burdeos *m* Bordeaux
buró *m* kancelář
busca *ž* hledání; **en ~ (de)** za účelem, pro
buscar hledat
butaca *ž* křeslo
buzón *m (poštovní)* schránka

C

caballero *m* rytíř; pán; **de ~** pánský
caballo *m* kůň
cabello *m* vlas; vlasy
***caber (12)** vejít se; být záhodno, být možno
cabeza *ž* hlava
cable *m* kabel
cabo *m* konec; mys; velitel; **llevar a ~** provést, uskutečnit
cacao *m* kakao
cada každý; **~ vez (que)** pokaždé (když), kdykoli
cadena *ž* řetěz
***caer (13)** padnout; připadat
café *m* káva; kavárna; **~ (solo)** černá káva; **~ con leche** bílá káva; **~ cortado** kapucín
cafetería *ž* kavárna, bistro
caída *ž* pád
(El) Cairo *m* Káhira
caja *ž* krabice, bedna; pokladna; **~ fuerte** nedobytná pokladna
calculadora *ž* kalkulačka, počítačka
calcular počítat
caldo *m* vývar
calefacción *ž* topení
calendario *m* kalendář
***calentar (ie,1)** ohřívat
calidad *ž* jakost
caliente teplý
calmar utišit
calor *m* teplo
calzado *m* obuv
callar mlčet; **-se** zmlknout
calle *ž* ulice
callejuela *ž* ulička
callo *m* mozol
cama *ž* postel
cámara *ž* kamera
camarera *ž* číšnice
camarero *m* číšník
cambiar měnit (se); **~ de tranvía, de tren** přestupovat
cambio *m* změna; výměna, směna; peníze zpět, drobné
Camilo *m* Kamil
caminar jít *(pěšky)*
camino *m* cesta
camión *m* nákladní auto
campeón *m* šampion, mistr
campeonato *m* šampionát, přebor, mistrovství

campesino venkovský; *m* venkovan, rolník
campo *m* pole; venkov; tábor
cana *ž* šedina
(el) Canadá *m* Kanada
canadiense kanadský; *m* Kanaďan
canal *m* kanál; *(programové)* pásmo
canje *m* výměna, směna
cansado unavený
cansar unavit
cantante *m* pěvec, zpěvák
cantar zpívat
cantidad *ž* množství
caña *ž* třtina; **~ de azúcar** cukrová třtina
capacidad *ž* schopnost; objem
capaz schopen
capital *m* kapitál; *ž* hlavní město
capítulo *m* kapitola
capó *m* kapota
captar zachytit
cara *ž* tvář, obličej; **tener buena/mala ~** vypadat dobře/špatně
carácter *m* povaha
caramelo *m* karamel
carbón *m* uhlí
carey *m* želvovina
cargo *m* nakládání, náklad, tíže; hodnost, funkce; **estar a ~ (de)** mít na starosti; **hacerse ~ (de)** vzít si na starost, převzít
caricatura *ž* karikatura
cariño *m* láska, něha
Carlos *m* Karel
carne *ž* maso
carnet *m* průkaz; **~ de conducir** řidičský průkaz; **~ de identidad** průkaz totožnosti
caro drahý
carrera *ž* běh, závod; ulice
carretera *ž* silnice
carta *ž* dopis; jídelní lístek
cartera *ž* aktovka; *A* kabelka
cartero *m* listonoš
casa *ž* dům, byt; **Casa Consistorial** radnice; **a ~** domů; **en ~** doma
casado ženatý
casar(se) oženit (se), provdat (se)
casete *ž* kazeta
casi téměř, skoro
caso *m* případ
castañuela *ž* kastaněta
castellano kastilský; *m* Kastilec; kastilština, španělština
castigo *m* trest
Castilla *ž* Kastilie
castillo *m* zámek, hrad
casualidad *ž* náhoda
catalán katalánský; *m* Katalánec; katalánština
Cataluña *ž* Katalánsko
cátedra *ž* katedra
catedral *ž* katedrála
categórico kategorický
católico katolický
catorce čtrnáct
causar způsobit
Cayetano *m* Kajetán
cebada *ž* ječmen
cebolla *ž* cibule
Cecilia *ž* Cecilie
Cecilio *m* Cecil
celebrar slavit, konat
célebre slavný
cementerio *m* hřbitov
cena *ž* večeře
cenar večeřet
cenicero *m* popelník
centenar *m* stovka
centenario *m* sté výročí; **quinto ~** pětisté výročí
centésimo stý; *m* setina; centim
central ústřední, střední; *ž* ústředna
centro *m* centrum, střed, ústředí, středisko: **en el ~** uprostřed
centroamericano středoamerický
cepillo *m* kartáč
cerámica *ž* keramika
cerámico keramický
cerca blízko; **de ~** zblízka
cercano blízký
cerdo *m* vepř, prase
cereal *m* obilovina
cereza *ž* třešně *(plod)*
cerezo *m* třešeň *(strom)*
cerilla *ž* zápalka
cero *m* nula
certificado *m* potvrzení, osvědčení; doporučený dopis; **~ de vacuna** očkovací vysvědčení

certificar potvrdit; poslat doporučeně
cerradura *ž* uzávěr, zámek
*__cerrar (ie,1)__ zavřít
cerveza *ž* pivo
cesar ustat, přestat; **sin ~** bez přestání, neustále
ciego slepý
cielo *m* nebe, obloha
ciencia *f* věda
científico vědecký
ciento *m* sto; **10 por ~** 10 procent
cierto jistý, určitý; **por ~** zajisté
cifra *ž* číslice
cigarrillo *m* cigareta
cinco pět
cine *m* kino
cinta *ž* pásek
cintura *ž* pas *(těla)*
circuito *m* okruh, okružní cesta
circular být v oběhu, jezdit
cita *ž* schůzka
citar pozvat *(na schůzku)*, předvolat; **-se** dát si schůzku
ciudad *ž* město
ciudadano *m* občan
civil občanský
civilización *ž* civilizace
Clara *ž* Klára
claro světlý, jasný; jasně, ovšem; **~ que** ovšemže
clase *ž* třída, hodina, vyučování; druh; **faltar a ~** chybět *(ve škole)*
cliente *m* zákazník
clínica *ž* klinika
club *m* klub
cobra *ž* kobra
cobrar brát *(peníze)*, pobírat, inkasovat
cocido vařený; *m* vařené maso s hrachem a zeleninou
cocina *ž* kuchyň
cocinar vařit
cóctel *m* koktejl
coche *m* vůz; **~-cama** lůžkový vůz; **~ con literas** lehátkový vůz
código *m* kód, kodex; **~ postal** poštovní směrovací číslo
coger brát, trhat
cola *ž* ocas, ohon; fronta; **hacer ~** stát frontu; **ponerse en la ~** stoupnout si do fronty
colcha *ž* přikrývka
colchón *m* matrace; **~ neumático** nafukovací lehátko
colección *ž* sbírka
coleccionar sbírat
colectivo kolektivní
colega *m* kolega
colegio *m* gymnázium
colmena *ž* úl
colocar umístit
Colombia *ž* Kolumbie
colombiano kolumbijský; *m* Kolumbijec
Colón Kolumbus
colonia *ž* kolonie
colonización *ž* kolonizace
colonizador *m* kolonizátor
colonizar kolonizovat
color *m* barva
collar *m* náhrdelník
coma *ž* čárka
combate *m* zápas, boj
combatiente *m* bojovník
combatir bojovat
combinar kombinovat, sestavit
comedor *m* jídelna
comentar komentovat, poznamenat
*__comenzar (ie,1)__ začít
comercial obchodní
comerciante *m* obchodník
comercio *m* obchod
cometer dopustit se
comer jíst
cómico komický
comida *ž* jídlo; oběd
comienzo *m* začátek
comisaría *ž* komisařství
comisario *m* komisař
como jako; ježto, neboť; **~ si** jako by
¿cómo? jak?
comodidad *ž* pohodlí
cómodo pohodlný
compañero *m* druh, kamarád; **~ de clase** spolužák; **~ de trabajo** spolupracovník
compañía *ž* společnost
comparar srovnávat
compartimento *m* oddělení
completo úplný; vyprodaný; **por ~** úplně
complutense z Alcalá de Henares

***componer (22)** skládat
compra *ž* koupě, nákup
comprar koupit
comprender chápat, rozumět; zahrnovat, obsahovat
comprensión *ž* pochopení, porozumění
comprobante *m* doklad, podací lístek, stvrzenka, účtenka
***comprobar (ue,3)** potvrdit, doložit; osvědčit, ověřit, zjistit
computadora *ž* počítač
común společný
comunicación *ž* spojení
comunicar sdělit, spojit; **-se (con)** spojit se, dorozumět se (s)
con *s;* ~ **tal que** jen když, jestliže, s podmínkou, že
conceder udělit, poskytnout
concepción *ž* početí
concepto *m* pojetí
concesión *ž* koncese, postoupení
concierto *m* koncert
condenar odsoudit
condición *ž* podmínka
***conducir (zc,9)** vést, řídit
conductor *m* řidič
conferencia *ž* konference; rozhovor
***confesar (ie,1)** přiznat
confianza *ž* důvěra
congreso *m* kongres, sjezd
conmemorar připomínat si, slavit
conmemorativo pamětní
***conocer (zc,8)** znát
conocido známý
conocimiento *m* znalost
consecuencia *ž* následek; **como ~ (de)** následkem
***conseguir (i,5)** dosáhnout
consejo *m* rada
consigna *ž* úschovna zavazadel
consomé *m* vývar
***constituir (y,10)** ustavit, tvořit
construcción *ž* stavba, stavění, budování
***construir (y,10)** stavět, budovat
consulado *m* konzulát
consultar dotázat se, poradit se; **~ el diccionario** podívat se do slovníku
consumar dovršit, uskutečnit, spáchat
consumir spotřebovat
consumo *m* spotřeba; **de ~** spotřební
contacto *m* styk
contaminación *ž* znečištění ovzduší
***contar (ue,3)** počítat; vyprávět
***contener (27)** obsahovat
contento spokojený
contestar odpovědět
contienda *ž* zápas, *(válečné)* střetnutí
continente *m* světadíl
continuación *ž* pokračování
continuar (ú,34) pokračovat
contra proti
contrario opačný; **al ~, por el ~** naopak
control *m* kontrola
conveniente vhodný
***convenir (30)** shodnout se; hodit se; vyhovovat; **conviene** je záhodno, je třeba
conversación *ž* konverzace
convertible směnitelný
***convertir (ie,i,6)** přeměnit, směnit
cooperativa *ž* družstvo
copa *ž* číše, pohár
Copenhague *m* Kodaň
copia *ž* kopie; průklep
coque *m* koks
corazón *m* srdce
corbata *ž* kravata
cordero *m* beránek, jehně
cordial srdečný
corona *ž* věnec; koruna
corral *m* dvůr
correo *m* pošta
correr utíkat, běžet
correspondencia *ž* korespondence
corresponder odpovídat, příslušet
correspondiente odpovídající, příslušný
corresponsal *m* dopisovatel
corrido plynulý, souvislý
corriente běžný
corriente *ž* proud; **~ de aire** průvan
cortar řezat, krájet, stříhat; přerušit
corte *ž* dvůr (královský); **Cortes** *mn.č.ž.* kortesy, španělský parlament
cortés zdvořilý
cortijo *m* dvorec
corto krátký
cosa *ž* věc
cosecha *ž* sklizeň, žně

costa *ž* pobřeží
***costar (ue,3)** stát (*peníze*)
costear hradit
costumbre *ž* zvyk
creador tvořivý
crear tvořit
***crecer (zc,8)** růst
crédito *m* úvěr; **dar ~** uvěřit
creer věřit, myslet; **ya lo creo** to bych myslel, řekl
crema *ž* krém; bílá polévka; šlehačka
cremallera *ž* zdrhovadlo
cría *ž* chov
crimen *m* zločin
criollo kreolský
crisis *ž* krize
cristal *m* sklo, křišťál
cristiano křesťanský
Cristina *ž* Kristýna
Cristo *m* Kristus
Cristóbal *m* Kryštof
crítico kritický
cruel krutý
cruz *ž* kříž
cuaderno *m* sešit
cuadrado čtvercový, čtvereční
cuadro *m* čtverec; obraz; **a -s** čtverečko-vý, kostkový
cual který, jenž; **~ si** jakoby
¿cuál? který?, jaký?
cualquiera kterýkoli, jakýkoli
cuando když, až; **desde ~** odkdy, **hasta ~** dokdy
cuanto kolik; **en ~** jakmile
¿cuánto? kolik? **¿a -s estamos?** kolikátého je?
cuarto čtvrtý; *m* čtvrtina, čtvrtka; pokoj; **~ de baño** koupelna; **~ de hora** čtvrthodina
cuatro čtyři
Cuba *ž* Kuba
cubalibre *m* rum s koka-kolou
cubano kubánský; *m* Kubánec
cúbico krychlový
cubierto *m* příbor
cubo *m* vědro, džber, kbelík
***cubrir (33)** přikrýt
cucaracha *ž* šváb
cuchara *ž* lžíce
cucharada *ž* (*obsah*) lžíce
cucharilla *ž* lžička
cuchillo *m* nůž
cuello *m* krk
cuenta *ž* účet; **tener en ~** mít na paměti, počítat (s čím)
cuento *m* povídka
cuerda *ž* provaz
cuero *m* kůže
cuerpo *m* tělo
cueva *ž* jeskyně
cuidado *m* péče, starost; **pierda ~** nestarejte se
culpable *m* viník
cultivar pěstovat
cultura *ž* kultura
cultural kulturní
cumbre *ž* vrchol
cumpleaños *m* narozeniny
cumplir splnit
cuñado *m* švagr
curso *m* kurs
cuyo jehož

Ch

cha-cha *n.* **cha-cha-chá** *m* čača (*tanec*)
chaqueta *ž* sako, kabátek
charlar povídat si
checo český; *m* Čech; čeština
chelín *m* šilink
cheque *m* šek
chico malý; *m* chlapec, kluk
chocar (contra) narazit (na)
chocolate *m* čokoláda
chófer *m* šofér
choque *m* náraz, srážka
chorizo *m* salám (*typu čabajky*)
chuleta *ž* kotleta

D

dama *ž* dáma
danés dánský; *m* Dán
daño *m* škoda, újma; **hacer ~** uškodit, ublížit; **hacerse ~** ublížit si

***dar (14)** dát; odbíjet, bít (hodiny); **~ a la calle** vést do ulice; **~ por bueno** dosvědčit; **~ tiempo (de, para)** mít čas (k); **-se cuenta** uvědomit si; **-se prisa** pospíšit si
dato *m* údaj
de od, z; *předl. 2.p.*; **~ día** za dne, ve dne
debate *m* debata
deber mít (*povinnost*), muset, smět; dlužit **~ de** + *inf.* patrně, asi (být apod.)
deber *m* povinnost, úkol
década *ž* desetiletí
decena *ž* desítka
décimo desátý; *m* desetina
***decir (15)** říci
declaración *ž* prohlášení, vyhlášení
declarar prohlásit, vyhlásit; přihlásit k proclení
decorado *m* dekorace, výzdoba
dedicar(se) věnovat (se)
dedo *m* prst; **~ gordo** palec
defecto *m* vada
definitivo definitivní, konečný
defraudar zpronevěřit, zklamat
dejar nechat, zanechat, půjčit; **~ de** + *inf.* přestat; **no deje de ver** nenechte si ujít, nezapomeňte se podívat
delante (de) před (*místně*)
delegación *ž* delegace
delegado (a) *m* delegát (*čeho*)
delgado štíhlý, tenký
demás navíc; **los ~** ostatní, druzí
demasiado příliš
democracia *ž* demokracie
democrático demokratický
dentista *m* zubní lékař
dentro uvnitř, dovnitř; **~ (de)** v; (*časově*) za
denuncia *ž* hlášení, udání
departamento *m* oddělení
dependencia *ž* závislost
depender (de) záviset, záležet (na); **depende** záleží na tom, přijde na to
dependiente závislý
deporte *m* sport
deportista *m* sportovec
deportivo sportovní
depositar položit, uložit
derecho *m* právo
derrota *ž* porážka
derrotar porazit
derrumbar zbořit
desacuerdo *m* neshoda
desagradable nepříjemný
desagradecido nevděčný
***desaparecer (zc,8)** zmizet
desarrollar rozvíjet, vyvíjet
desarrollo *m* rozvoj, vývoj
desayunar snídat
desayuno *m* snídaně
descansar odpočívat
descanso *m* odpočinek
***descender (ie,2)** sestoupit
descenso *m* sestup
***descomponer (22)** rozložit
***desconocer (zc,8)** neznat
desconocido neznámý
descubrimiento *m* objevení, objev
***descubrir (33)** objevit, odkrýt
desde od; **¿~ cuándo?** odkdy?; **~ hace dos días** (již) dva dny, jsou tomu dva dny
deseado kýžený
desear přát (si)
desempleado nezaměstnaný
desempleo *m* nezaměstnanost
deseo *m* přání
***deshelar (ie,1)** tát
deshielo *m* tání
desordenado nepořádný, rozházený
despacio pomalu
despacho *m* pracovna
despedida *ž* rozloučení
***despedir (i,5)** propustit, vyhodit; **ir a ~** jít vyprovodit; **-se** rozloučit se
despegar odlepit; startovat, vyletět
despeinar rozcuchat
despertador *m* budík
***despertar(se) (ie,1)** probudit (se)
después potom; **~ de** po (*časově*)
destacar vynikat
destinatario *m* adresát, příjemce
destino *m* osud; určení, cíl
***destruir (y,10)** zničit
***desvestir (i,5)** svléci
detalle *m* detail, drobnost, podrobnost
***detener (27)** zadržet, zastavit; zatknout
detrás (de) za (*místně*)

deuda *ž* dluh
*devolver (32) vrátit
día *m* den; ~ **de fiesta** *n.* **festivo** sváteční den; ~ **laborable** pracovní den; **D-Nacional** státní svátek; **de** ~ ve dne; **un** ~ **sí y otro no** obden
diapositiva *ž* diapozitiv
diario *m* deník
dibujo *m* kresba
diccionario *m* slovník
diciembre *m* prosinec
dicho řečený
diente *m* zub
diez deset
diferencia *ž* rozdíl
diferente odlišný, rozličný, různý
difícil nesnadný, těžký
dificultad *ž* nesnáz, obtíž, potíž; **poner -es** dělat potíže
difundir šířit, rozšiřovat
difusión *ž* rozšíření
Dinamarca *ž* Dánsko
dinero *m* peníze
dios *m* bůh
diploma *m* diplom
diplomático *m* diplomat
dirección *ž* směr; řízení, vedení, ředitelství; adresa; **en** ~ **(a)** směrem (k, na, do)
directo přímý; *m* rychlík
director *m* ředitel; dirigent; režisér
dirigente *m* vedoucí činitel
dirigir vést, řídit; dirigovat; režírovat; **-se** zamířit (kam), obrátit se (na)
disciplina *ž* disciplina, kázeň
discípulo *m* žák
disco *m* deska
discoteca *ž* diskotéka
discriminación *ž* diskriminace
discutir diskutovat, přít se, projednat
dispensar prominout
*disponer (22) stanovit; ~ **(de)** mít k dispozici; **-se (a)** chystat se (k)
distancia *ž* vzdálenost
distinguido vážený, ctěný
distinto odlišný, různý
distrito *m* okres; ~ **postal** poštovní obvod
divertido zábavný
*divertir(se) (ie,i,5) bavit (se)
divisa *ž* deviza
divorciado rozvedený
divorciarse rozvést se
doble dvojitý; dvoulůžkový
doce dvanáct
documentación *ž* doklady
documento *m* doklad
dólar *m* dolar
*doler (ue,4) bolet
dolor *m* bolest
domicilio *m* bydliště
dominar ovládat
domingo *m* neděle
dominó *m* domino
don *m* pán
donar darovat
donde kde
¿dónde? kde?; **a** ~ kam; **de** ~ odkud; **por** ~ kudy
doña *ž* paní
dorado zlatý
*dormir (ue,u,7) spát; ~ **la siesta** spát po obědě; **-se** usnout
dormitorio *m* ložnice
dos dva; **los** ~ oba
ducha *ž* sprcha; **tomar una** ~ dát si sprchu, osprchovat se
ducharse sprchovat se
duda *ž* pochyba
dudar pochybovat
dudoso pochybný
dueño *m* majitel, šéf
dulce sladký; *m* sladkost
duodécimo dvanáctý
duración *ž* trvání
durar trvat

E

e a
ecológico ekologický
economía *ž* hospodářství; úspora
económico hospodářský; levný
echar hodit; dávat, uvádět (*film*); **-se a** + *inf.* dát se do
edad *ž* věk; **de** ~ starší; **¿qué** ~ **tiene?** kolik je mu let?

edificio *m* budova; **~ torre** výšková budova, věžák
educación *ž* výchova
***efectuar (ú,34)** uskutečnit
ejemplar *m* exemplář, výtisk
ejemplo *m* příklad; **por ~** například
ejercicio *m* cvičení
ejército *m* vojsko
el ten; *člen určitý;* **~ cual**, **~ que** který, jenž
él on
elección *ž* volba
eléctrico elektrický
electrodomésticos *mn.č. m* domácí elektrospotřebiče
electrónico elektronický
elegante elegantní
***elegir (i,5)** vyvolit, zvolit, vybrat
Elena *ž* Helena
elevar zdvihnout; **-se** dosahovat
ella ona
embargo: **sin ~** nicméně, ale, leč
embajada *ž* velvyslanectví
embajador *m* velvyslanec
emborrachar(se) opít (se)
Emilio *m* Emil
emisión *ž* vysílání
emitir vysílat
emoción *ž* dojem, vzrušení
empeorar zhoršit (se)
emperador *m* císař
***empezar (ie,1) (a)** začít
empinado strmý
empleado *m* zaměstnanec
emplear použít
empleo *m* zaměstnání, použití
emprender podniknout; **~ el camino** nastoupit cestu
empresa *ž* podnik
en v
enamorarse zamilovat se
encabezamiento *m* záhlaví
encantado okouzlený
encantador okouzlující
encantar okouzlit, těšit
encanto *m* kouzlo
encendedor *m* zapalovač
***encender (ie,2)** zapálit; rozsvítit, zapnout, pustit
***encerrar (ie,1)** uzavřít
encima nad, na, nahoře
encina *ž* dub
***encontrar (ue,3)** najít, potkat; **-se** nacházet se, být; **-se (con)** setkat se (s), přijít (nač)
encrucijada *ž* křižovatka
encuentro *m* setkání, utkání
enemigo *m* nepřítel
enero *m* leden
enfadar(se) zlobit (se)
enfermo nemocný
enfrentamiento *m* střetnutí
enfrente naproti
enorme nesmírný
Enrique *m* Jindřich
enroscar navinout, ovinout
ensalada *ž* salát
ensayo *m* esej
enseguida ihned
enseñanza *ž* vyučování; školství; poučení
enseñar (a) učit
entero celý; *m* celek
entonces tehdy; tedy; **en aquel ~** v oné době, tehdy
entrada *ž* vchod, vstup; vstupenka; předkrm
entrar (en) vejít, vstoupit (do)
entre mezi; **ocho ~ cuatro** osm děleno čtyřmi
entregar odevzdat
entremés *m* předkrm
***entretener(se) (27)** bavit se
entretenimiento *m* zábava
entrevista *ž* schůzka, setkání; rozhovor, interview
entusiasmo *m* nadšení
envenenar otrávit (*jedem*)
***enviar (í,34)** poslat
envidiar závidět
***envolver (32)** zabalit
época *ž* období, epocha
equipaje *m* zavazadla
equipo *m* četa, parta, družstvo, oddíl, kolektiv
equivocar(se) zmýlit (se)
era *ž* výmlat, mlácení
Ernestina *ž* Arnoštka

Ernesto *m* Arnošt
error *m* omyl
escala *ž* zastavení, mezipřistání; **hacer ~** stavět, přistát
escalera *ž* schodiště, žebřík
escapar uniknout, vyváznout
escaparate *m* výkladní skříň
escena *ž* scéna
escenario *m* jeviště
escoger vybrat
escolar školní; školský
escolaridad *ž* školní docházka
escribir (33) psát
escritor *m* spisovatel
escritorio *m* psací stůl
escuchar poslouchat, naslouchat
escudo *m* štít; portugalská měna
escuela *ž* škola
escurrir nechat odkapat
ese ten
***esforzarse (ue,3) (por)** usilovat (o)
esfuerzo *m* úsilí
eslovaco slovenský; *m* Slovák; slovenština
eso to; **a ~ de** kolem, asi; **por ~** proto
espalda *ž* záda
España *ž* Španělsko
español španělský; *m* Španěl; španělština
espárrago *m* chřest
especial zvláštní
especie *ž* druh
espejo *m* zrcadlo
espeleólogo *m* speleolog
espera *ž* čekání, očekávání; **a la ~ (de)** v očekávání (čeho); **en ~ (de)** v očekávání (čeho)
esperanza *ž* naděje
esperar čekat; doufat
espiga *ž* klas
espíritu *m* duch
esposo *m* manžel
esquí *m* lyže
esquiador *m* lyžař
***esquiar (í,34)** lyžovat; lyžařit
esquimal *m* Eskymák
esquina *ž* roh
esquivo plachý
estación *ž* stanice, nádraží; roční období
estacionado stojící
estacionamiento *m* parkování
estacionar stát, parkovat
estado *m* stav
Estado *m* stát, **Estados Unidos de Norteamérica** Spojené státy americké
estafeta *ž* **de correos** poštovní úřad
estallar vypuknout
estampilla *ž* poštovní známka
estancia *ž* pobyt
estanco *m* trafika
estanque *m* rybník
estante *m* polička
estantería *ž* polička, knihovnička
estaño *m* cín
***estar (16)** být
estatal státní
estatua *ž* socha
este tento
este *m* východ
Estéban *m* Štěpán
estimado vážený, ctěný
estimar cenit, ocenit, odhadnout; ctít
esto toto, to
Estocolmo *m* Stockholm
estómago *m* žaludek
estratégico strategický
estrella *ž* hvězda
estrenar mít premiéru, prvně vzít, prvně hrát
estudiantado *m* studentstvo
estudiante *m* student
estudiantil studentský
estudiar studovat, učit se
estudio *m* studie; studium; studio, garsoniéra
estupendo úžasný
etcétera atakdále
eterno věčný
Eugenio *m* Evžen
Europa *ž* Evropa
europeo evropský; *m* Evropan
evento *m* událost
evitar (algo) vyhnout se (čemu), vyvarovat se (čeho)
exacto přesný
exagerar přehánět
examen *m* zkouška; prohlídka, vyšetření; **~ general** celkové vyšetření
examinar zkoušet, prohlížet, vyšetřovat
excelente výtečný

excepción *ž* výjimka
exceso *m* přemíra
exclamar zvolat
excursión *ž* výlet
exigir vyžadovat, vymáhat
existente existující
existir existovat
*__expedir (i,5)__ vystavit, vybavit, odeslat
experiencia *ž* zkušenost
explicación *ž* vysvětlení
explicar vysvětlit
explotar těžit; vykořisťovat
*__exponer (22)__ vystavit; exponovat
exportación *ž* vývoz
exportar vyvážet
exposición *ž* výstava
expresar vyjádřit
expresión *ž* výraz
*__extenderse (ie,2)__ rozkládat se
extensión *ž* rozloha
extenso rozlehlý
exterior vnější; zahraniční; *m* vnějšek, zevnějšek
externo externí, vnější; zahraniční
extracción *ž* těžba; vytažení
extranjero cizí, zahraniční; *m* cizina; cizinec
extrañar být divné
extraño divný
extraordinario neobyčejný, mimořádný
extremo krajní; *m* krajnost, kraj, konec

F

fabada *ž* fazolová polévka
fábrica *ž* továrna
fabricación *ž* (tovární) výroba
fácil snadný, lehký
factor *m* faktor
facultad *ž* fakulta
faena *ž* práce, dřina
falso falešný, nepravý
falta *ž* nedostatek, chyba; **hacer ~** být zapotřebí, chybět; **por ~ (de)** nedostatkem (čeho)
faltar chybět, zameškat
*__fallecer (zc,8)__ skonat
fallo *m* chyba, vada; rozsudek
familia *ž* rodina
familiar rodinný; *m* rodinný příslušník, příbuzný
famoso pověstný
farmacia *ž* lékárna
fascismo *m* fašismus
favor *m* milost, laskavost; **por ~** prosím; **hacer el ~ (de)** být tak laskav (a), udělat tu laskavost (a)
favorito oblíbený
febrero *m* únor
fecha *ž* datum
federal federální
federativo federativní
Federico *m* Bedřich
felicidad *ž* štěstí; **¡-es**! blahopřeji!
Felipe *m* Filip
feliz šťastný
femenino ženský
feo ošklivý
feria *ž* trh, veletrh
Fernando *m* Ferdinand
ferrocarril *m* železnice
ferroviario železniční; *m* železničář
festival *m* festival
festivo sváteční
fiebre *ž* horečka
fiel věrný
fiesta *ž* svátek
figura *ž* postava
figurar figurovat, být uveden; **-se** představit si
fijar upevnit; stanovit; **-se (de)** všimnout si (čeho); **¡fíjese**! představte si!
fijo pevný
fila *ž* řada
filatélico filatelistický
filete *m* řízek, plátek
filme *m* film
filología *ž* jazykověda
filosofía *ž* filozofie
fin *m* konec; **~ de semana** víkend; **a ~ de que** aby; **al ~** konečně; **con el ~ (de)** za účelem, (aby); **poner ~** učinit konec; **por ~** konečně
finlandés finský; *m* Fin
final konečný; *m* konec; **al ~ (de)** na konci (čeho); **a -es (de)** koncem (čeho)
finalizar končit

fino jemný
firma *ž* podpis
firmar podepsat
física *ž* fyzika
físico fyzický, tělesný
flan *m* nákyp, pudink
flauta *ž* flétna
flor *ž* květ, květina
fomentar podpořit
fondo *m* dno, spodek, pozadí; **al** ~ vzadu
forastero cizí, přespolní
forma *ž* forma, tvar; **de tal ~ que** tak, že; tak, aby
formación *ž* utváření, příprava, výchova, vzdělání
formar tvořit; školit, připravovat, utvářet
formidable úžasný
fórmula *ž* formule, fráze
fósforo *m* sirka
fotocopia *ž* fotokopie
fotografía *ž* fotografie
fotógrafo *m* fotograf
frambuesa *ž* malina
francés francouzský; *m* Francouz; francouzština
Francia *ž* Francie
Francisco *m* František
franco otevřený; upřímný
franco *m* frank
frase *ž* fráze, věta
***fregar (ie,1)** drhnout, mýt
***freír (i,5,33)** smažit
frente (a) proti, vůči
frente *ž* čelo; **hacer** ~ čelit
fresa *ž* jahoda
fresco čerstvý, svěží; drzý
frío studený; *m* chlad, zima
frito smažený
frontera *ž* hranice
fruta *ž* ovoce
fruto *m* plod
fuego *m* oheň
fuente *ž* pramen, studna, fontána; mísa, podnos
fuera venku, vně
fuerte silný
fuerza *ž* síla
fumador *m* kuřák
fumar kouřit, vykouřit (si)
funcionar fungovat, jít, jet
funcionario *m* (*placený*) zaměstnanec, úředník
fundición *ž* tavba, huť
fusilar zastřelit
fútbol *m* kopaná
futuro budoucí; *m* budoucnost

G

gafas *mn.č.ž* brýle; **~ de sol** brýle proti slunci
galería *ž* galerie
gallego galicijský; *m* Galicijec; galicijština
gallina *ž* slepice
gana *ž* chuť; **no me da la ~** nemám chuť, nechce se mi; **tengo -s (de)** chce se mi, rád bych, mám chuť
ganado *m* dobytek; **~ mayor** hovězí dobytek, skot
ganar vyhrát; vydělat; dosáhnout; **-se la vida** vydělávat si na živobytí
ganchillo *m* háček; **hacer** ~ háčkovat
garaje *m* garáž
garantía *ž* záruka
garbanzo *m* cizrna
garganta *ž* hrdlo, krk
gas *m* plyn
gaseosa *ž* sodovka
gasolina *ž* benzín
Gaspar *m* Kašpar
gastar utratit, vydat
gasto *m* výdaj
gato *m* kočka
gavilla *ž* snop
gazpacho *m* polévka z rajčat
generación *ž* generace
general všeobecný; obvyklý; **en ~** veskrz, vůbec; **por lo** ~ většinou, obvykle
Génova *ž* Janov
gente *ž* lidé
geografía *ž* zeměpis
gimnasia *ž* tělocvik
gimnasio *m* tělocvična
gira *ž* okruh, okružní cesta *n.* jízda, výlet
gloria *ž* sláva
gobernación *ž* vládnutí; **Ministerio de Gobernación** ministerstvo vnitra

gobierno *m* vláda
golfo *m* golf; záliv
golpe *m* rána; **~ de Estado** puč, (státní) převrat
gordo tlustý
gota *ž* kapka
gótico gotický
goyesco goyovský
gozar (de) mít požitek (z), požívat (čeho)
grabadora *ž* magnetofon
gracia *ž* půvab; milost; **hacer ~** líbit se; **-s** *mn. č.* díky; **dar las -s** vzdát díky, děkovat
gracioso půvabný, roztomilý
grado *m* stupeň
gramática *ž* mluvnice
gramo *m* gram
granadino granadský
granate *m* granát
grande velký
granja *ž* statek
grano *m* zrno
gratuito bezplatný, zdarma
grave těžký, vážný
Gregorio *m* Řehoř
griego řecký
gripe *ž* chřipka
gris šedivý
gritar křičet
grosero hrubý; *m* hrubián
grupo *m* skupina
guapo hezký
guardar chovat, schovat; zachovat; střežit, hlídat; **~ cama** zůstat ležet (v posteli)
guardia *m* strážník, strážce
guardia *ž* stráž; **G- Civil** občanská garda (četnictvo)
guerra *ž* válka
guerrilla *ž* partyzánská válka
guerrillero *m* partyzán
guía *m* průvodce, vůdce
guía *ž* průvodkyně; průvodce (*knížka*)
guisante *m* cizrna
guitarra *ž* kytara
gustar líbit se, chutnat, být libo
gusto *m* chuť; potěšení; **mucho ~** těší mě; **con mucho ~** milerád

H

La Habana *ž* Havana
***haber (17)** být; **hay** je, jsou; **hay que** + *inf.* je nutno, je třeba; **he aquí** tu je, tu jsou
habitación *ž* pokoj
habitante *m* obyvatel
habitar obývat
habitual obvyklý
habla (el) ž řeč
hablar mluvit
***hacer (18)** dělat; **hace...** je tomu...; **hace calor** je teplo; **hace frío** je zima; **hace mucho** (již) dlouho; **hace poco** před nedávnem, krátce; **hace sol** je slunce
hacia (směrem) k
hacienda *ž* statek
hallar(se) nalézat (se)
hambre (el) *ž* hlad
hasta (až) do; **¿~ cuándo?** (až) do kdy?; **~ que** až
La Haya *ž* Haag
hectárea *ž* hektar
hecho *m* skutek
helado *m* zmrzlina
***helar (ie, 1)** mrznout
herida *ž* rána, zranění
herido *m* raněný
***herir (ie, i, 6)** ranit
hermana *ž* sestra
hermano *m* bratr
hermoso krásný
héroe *m* hrdina
heroico hrdinný
hielo *m* led
hierba *ž* tráva
hierro *m* železo
hija *ž* dcera
hijo *m* syn
hinchado opuchlý, naběhlý
hispanista *m* španělštinář
historia *ž* dějiny; historie, příběh
historial *m* životopis
histórico dějinný
hogar *m* domov
hoja *ž* list
hola hola, haló, ahoj

holandés holandský; *m* Holanďan
hombre *m* muž, člověk
hombro *m* rameno
hondo hluboký
honorario čestný
honrado čestný, poctivý
hora *ž* hodina; ~ **de comer** čas k jídlu; **a primera** ~ časně (zrána); **hasta altas -s de la noche** do pozdních nočních hodin
horario *m* rozvrh hodin, jízdní řád; úřední hodiny; ~ **continuado** nepřetržitá pracovní doba
horizonte *m* horizont, obzor
hospital *m* nemocnice
hostal *m* ubytovna, penzión
hotel *m* hotel
hoy dnes; **de ~ en** ode dneška za
hoz *ž* srp
huelga *ž* stávka; **declarar una ~** *n.* **declararse en ~** vyhlásit stávku
huelguista *m* stávkující
huerto *m* sad, zelinářská zahrada
hueso *m* kost
huésped *m* host; **casa de -es** penzión
huevo *m* vejce
hulla *ž* černé uhlí
huir (y, 10) utéci
humanidad *ž* lidstvo
húmedo vlhký, mokrý
humo *m* kouř
humor *m* nálada
hundir zabořit; **-se** probořit se, zhroutit se

I

ida *ž* tam; ~ **y vuelta** cesta tam a zpět; **de ~ y vuelta** zpáteční
idea *ž* myšlenka, nápad; **tener ~** mít ponětí
ideal ideální
identidad *ž* totožnost
idioma *m* jazyk, řeč
iglesia *ž* kostel
Ignacio *m* Ignác
igual stejný
igualdad *ž* rovnost
imaginarse představit si
impar lichý
impermeable nepromokavý; *m* nepromokavý plášť
***imponer (22)** uložit, vložit
importancia *ž* důležitost, význam
importante důležitý, významný
importar dovážet; být důležité, záležet
impresión *ž* dojem
impresionar udělat dojem, dojmout
improbable nepravděpodobný
impuesto (sobre) *m* daň (z)
impulsar podporovat, povzbuzovat
inaugurar zahájit
inca incký; *m* Inka
incansable neúnavný
incluido započtený, včetně
***incluir (y, 10)** zahrnout, započítat
indefinido neurčitý; neomezený
independencia *ž* nezávislost
independiente nezávislý
independizarse osamostatnit se
indígena domorodý
indio indický, indiánský; *m* Ind, Indián
individual individuální, jednotlivý; jednolůžkový
indumentaria *ž* odění
industria *ž* průmysl
industrial průmyslový
industrializar zprůmyslovět
influencia *ž* vliv
infancia *ž* dětství
información *ž* informace
informar(se) informovat (se)
ingeniero *m* inženýr
Inglaterra *ž* Anglie
inglés anglický; *m* Angličan; angličtina
inicial počáteční; pro začátečníky
iniciar započít; **-se** začít, zapracovat se
ininterrumpido nepřetržitý
inmigrante *m* přistěhovalec
inmortal nesmrtelný
inmovilizar učinit nehybným, ochromit
inolvidable nezapomenutelný
inquietar zneklidňovat
inscripción *ž* nápis
insistir (en) naléhat, trvat (na)
insolación *ž* úžeh
instalar zařídit, zavést; **-se** zařídit se; ubytovat se

instante *m* okamžik; **al ~** za okamžik, v okamžiku
instituto *m* ústav
instrucción *ž* vyučování
inteligente inteligentní
intelectual duševní; *m* intelektuál
intención *ž* úmysl, záměr
intensivo intenzívní, silný
intenso intenzívní, silný
interés *m* zájem
interesante zajímavý
interesar zajímat
interior vnitřní; vedoucí do dvora; *m* vnitřek
intermedio prostřední; *m* prostředek; **por ~ (de)** prostřednictvím
internacional mezinárodní
interpretar tlumočit; hrát
intérprete *m* tlumočník
introducción *ž* úvod
inundación *ž* záplava, povodeň
inundar zaplavit
invadir vtrhnout, napadnout
invasor *m* útočník
investigar zkoumat
invierno *m* zima
invitación *ž* pozvání; pozvánka
invitar pozvat
involuntario nedobrovolný
***ir (19)** jít, jet; **~ a** + *inf.* vbrzku něco udělat; **-se** odejít; **¡vaya**! ale!
irritar dráždit, rozčilovat
Isabel *ž* Isabela, Alžběta
isla *ž* ostrov; **Islas Canarias** *mn.č.* Kanárské ostrovy
italiano italský; *m* Ital; italština
izquierdo levý; **a la -a** vlevo, nalevo

J

jabón *m* mýdlo
Jaime *m* Jakub
jamás nikdy
jamón *m* šunka; **~ serrano** nevařená šunka
Japón *m* Japonsko
japonés japonský; *m* Japonec; japonština
jardín *m* zahrada; **~ de infancia** mateřská škola
jaula *ž* klec
Javier *m* Xaver
jefe *m* šéf
Jerónimo *m* Jeroným
jersey *m* svetr
Jesucristo *m* Ježíš Kristus
Jesús *m* Ježíš
Joaquín *m* Jáchym
Jorge *m* Jiří
jornada *ž* (pracovní, cestovní) den; **~ intensiva** nepřetržitá pracovní doba
joven mladý; *m* mladík
joyería *ž* zlatnictví
jubilado *m* důchodce
jubilar dát do důchodu; **-se** jít do důchodu
judería *ž* židovská čtvrť
judía *ž* fazole
judío židovský; *m* Žid
juego *m* hra; soubor, servis; **~ de mesa** stolní souprava
jueves *m* čtvrtek
***jugar (ue, 3) (a)** hrát (si)
jugo *m A* šťáva
juguete *m* hračka
Julia, **Julieta** *ž* Julie
Julio *m* Julius
julio *m* červenec
junio *m* červen
juntar(se) spojit, shromáždit (se)
junto (a) spolu (s); u, vedle; **~ con** spolu s; **-s** spolu, dohromady
juventud *ž* mládí, mládež

K

kilo, **kilogramo** *m* kilogram
kilómetro *m* kilometr

L

la ta; *člen určitý;* ji, vás; **~ cual**, **~ que** která, jež
laborable pracovní
laboral pracovní
labranza *ž* polní práce, orba
lado *m* strana, bok; **al ~ (de)** vedle, u; **a mi ~** vedle mne, u mne, ke mně

lago *m* jezero
lámina *ž* deska, plátek
lámpara *ž* lampa
lana *ž* vlna
lápiz *m* tužka
largo dlouhý; **a lo ~** po délce
las ty; *člen určitý;* je, vás
lástima *ž* škoda
lastimero lítostivý, žalostivý
latino latinský
latinoamericano latinskoamerický; *m* Latinoameričan
laurel *m* vavřín
lavadero *m* místo na praní, prádelna
lavadora *ž* pračka
lavandería *ž* prádelna
lavar mýt, prát; **-se** mýt se
le mu, jí, vám; jej, ho, vás
lección *ž* lekce, cvičení, hodina
lectura *ž* četba, čtení
leche *ž* mléko
lechuga *ž* hlávkový salát
leer číst
lejano daleký
lejos daleko
lema *m* heslo
lengua *ž* jazyk
lente *ž* čočka (*optická*)
lentes *mn. č. m* brýle
lenteja *ž* čočka (*potravina*)
lento pomalý
les jim, vám
letra *ž* písmeno; *mn. č.* písmena; písemnictví
letrero *m* nápis
levantar zdvihnout; **-se** vstát
liberación *ž* osvobození
liberador *m* osvoboditel
liberar(se) osvobodit (se)
libertad *ž* svoboda
libra *ž* libra; **~ esterlina** libra šterlinků
libraco *m (knižní)* kýč, brak
librar osvobodit, zbavit
libre volný, svobodný
libro *m* kniha
licor *m* likér
ligero lehký
lila *ž* šeřík
limón *m* citrón
limonada *ž* limonáda
limosna *ž* almužna
limpio čistý
lindo *A* hezký
línea *ž* linka, trasa
liquidar likvidovat
Lisboa *ž* Lisabon
lista *ž* seznam; **~ de correos** poste restante
listo hotový, připravený; chytrý
litera *ž* lehátko
literatura *ž* literatura
litro *m* litr
lo to; *člen střed. r.*; ho, to, vás; **~ cual, ~ que** což, to, co
local místní
localidad *ž* místo, obec
loco bláznivý, šílený; m blázen; **volver ~** přivádět k šílenství; **volverse ~** zbláznit se
locomotora *ž* lokomotiva
lógico logický
lograr dosáhnout, dokázat
Londres *m* Londýn
los ti; *člen určitý;* je, vás
lucha *ž* boj
luchar bojovat
luego potom
lugar *m* místo; **~ de trabajo** pracoviště; **tener ~** konat se
Luis *m* Ludvík
lujo *m* přepych; **de ~** přepychový
luna *ž* měsíc
lunes *m* pondělí
lúpulo *m* chmel
luz *ž* světlo

Ll

llamada *ž* volání
llamar volat; nazývat; klepat, zvonit; **-se** jmenovat se
llanura *ž* nížina, rovina
llave *ž* klíč
llegada *ž* příchod, příjezd, přílet
llegar přijít, přijet, přiletět, dorazit
llenar naplnit, vyplnit
lleno plný
llevar nést

llorar plakat
***llover (ue, 4)** pršet
lluvia *ž* déšť

M

madera *ž* dřevo
madre *ž* matka
madrileño madridský; *m* Madriďan
madrugada *ž* časné ráno
madrugar časně vstávat
maduro zralý
maestro *m* mistr, učitel
magnetofónico magnetofonový
magnífico skvělý, nádherný
maíz *m* kukuřice
mal špatně; **menos ~ que** ještěže
maleta *ž* kufr; **hacer las -s** balit kufry
malo špatný, zlý
malla *ž* síťka
mallorquín malorský, z Malorky
mamá *ž* maminka
manaza *ž* velká ruka, pracka
manecilla *ž* ručička
manera *ž* způsob; **de esta ~** tímto způsobem; **de todas -s** na každý pád, rozhodně
manchego z La Manchy, mančský
manicomio *m* blázinec
mano *ž* ruka; **a ~** ručně
manso krotký, mírný
manteca *ž* sádlo
mantel *m* ubrus
***mantener (26)** držet, udržet, vydržovat
mantequilla *ž* máslo
manual *m* příručka, učebnice
manzana *ž* jablko
manzano *m* jabloň
mañana *ž* ráno, dopoledne; **a la ~ siguiente** nazítří ráno; **por la ~** ráno, dopoledne
mapa *m* mapa
máquina *ž* stroj; **~ de escribir** psací stroj; **a ~** strojově, strojem
mar *m* moře; **M- Caribe** Karibské moře; **M- Mediterráneo** Středozemní moře; **M- de Ojotsk** Ochotské moře
maravilla *ž* zázrak
maravilloso kouzelný, nádherný, úžasný
marcar značit, ukazovat
Marcela *ž* Marcela
Marcelo *m* Marcel
marco *m* marka (*měna*)
marcha *ž* chod, pochod; **poner en ~** uvést do pohybu; **ponerse en ~** dát se do pohybu, rozjet se
marchar kráčet, pochodovat, jít; **-se** odejít
Margarita *ž* Markéta
marido *m* manžel
Marsella *ž* Marseille
martes *m* úterý
marzo *m* březen
mas avšak, leč, ale
más víc; **de ~** navíc; **~ bien** spíše
masculino mužský
matar zabít
matemáticas *mn. č. ž* matematika
materia *ž* hmota; **~ prima** surovina
material hmotný; *m* materiál; (školní) pomůcky
materno mateřský
matrícula *ž* zápis; zápisné, školné
máximo maximální, nejvyšší; *m* maximum
mayo *m* květen
mayonesa *ž* majonéza
mayor (*před*) větší; (*za*) starší
mayoría *ž* většina
mayúscula *ž* velké písmeno
mazurca *ž* mazurka
me mi; mě; si; se
mecánico mechanický; *m* mechanik
mecanografía *ž* psaní na stroji
media *ž* punčocha
mediado poloviční; **a -s** v polovině
medianoche *ž* půlnoc
medicina *ž* lékařství; lék
médico lékařský; *m* lékař
medida *ž* míra; opatření
medieval středověký
medio poloviční; průměrný; **-a hora** půlhodina; **hora y -a** půldruhé hodiny; *m* prostředek; **~ de transporte** dopravní prostředek; **por ~ de** prostřednictvím, skrze
mediodía *m* poledne
mejicano mexický; *m* Mexičan

Méjico *m* Mexiko
mediterráneo středozemní; **M-** *m* Středozemní moře
mejor lepší; raději; **a lo ~** přinejlepším; možná
mejora *ž* zlepšení
mejorar zlepšit
melancólico melancholický
melocotón *m* broskev
memoria *ž* paměť; **de ~** nazpaměť
mendigo *m* žebrák
menestra *ž* zeleninová polévka
menor (*před*) menší; (*za*) mladší
menos méně, bez, minus; **~ mal que** ještěže; **por lo ~** přinejmenším, alespoň
mensaje *m* poselství, vzkaz
mental duševní
mentiroso prolhaný
menú *m* menu
menudo malý; **a ~** často
mercado *m* trh
mercancía *ž* zboží
merced *ž* milost
***merendar (ie, 1)** svačit
merluza *ž* merlan
mermelada *ž* marmeláda, džem
mes *m* měsíc
mesa *ž* stůl
mestizo *m* mestic, míšenec
meta *ž* cíl
metal *m* kov
metalúrgico kovodělný, hutní; *m* hutník
meter (en) vložit, dát, strčit (do); **-se (en)** vložit se, vejít, vjet (do)
métrico metrický
metro *m* metr; **~ cuadrado/cúbico** čtvereční/krychlový metr
metro *m* metro
mexicano mexický; *m* Mexičan
mezcla *ž* směs
mezquita *ž* mešita
mi můj
miedo *m* strach
mientras zatímco, mezitím, dokud; **~ más** čím víc; **~ tanto** mezitím
miércoles *m* středa
mieses *mn. č. ž* obilí, sklizeň, žně
Miguel *m* Michal
mil tisíc
milanesa *ž* smažený řízek
milenario *m* tisící výročí
milésimo tisící
militar vojenský; *m* vojenská osoba, voják
millar *m* tisícovka
millón *m* milion
millonésimo miliontý
mimoso mazlivý
mina *ž* důl, šachta
mineral minerální; *m* nerost, ruda; **~ de hierro** železná ruda
minero důlní; *m* horník
mínimo minimální; *m* minimum
ministerio *m* ministerstvo; **M- de Gobernación** ministerstvo vnitra; **M- de Hacienda** ministerstvo financí
ministro *m* ministr; **primer ~** předseda vlády, premiér
minuto *m* minuta
mío můj
mirar dívat se, hledět
miseria *ž* bída
mismo (*před*) týž; (*za*) sám, osobně; **hoy ~** ještě dnes
mitad *ž* polovina
mixto míchaný, smíšený
moderno moderní
módico mírný, levný
modo *m* způsob; **de todos -s** na každý pád, rozhodně
***moler (ue, 4)** mlít
molestar obtěžovat
molestia *ž* obtíž, obtěžování
molino *m* mlýn
momento *m* okamžik
moneda *ž* měna; mince
monedero *m* peněženka
Mongolia *ž* Mongolsko
Mónica *ž* Monika
monstruo *m* obluda, příšera
montaña *ž* hora
montón *m* kupa, hromada, spousta
monumental monumentální
monumento *m* pomník; památka
Moravia *ž* Morava
moreno snědý, tmavovlasý; **ponerse ~** zhnědnout, opálit se

***morir (ue, u, 7, 33)** zemřít; **-se por una cosa** mít něco k smrti rád
moro maurský; *m* Maur
mortal smrtelný
mosquito *m* komár
***mostrar (ue, 3)** ukázat
motor *m* motor
***mover (ue, 4)** hýbat; **~ la cabeza** hnout *n.* zavrtět hlavou
movimiento *m* pohyb; hnutí
mozo *m* chlapec; posluha, nosič
muchacha *ž* dívka
muchacho *m* chlapec
mucho hodně, velmi; mnohý
mueble *m* nábytek
muela *ž* stolička, zub
muerte *ž* smrt
muerto mrtvý
mujer *ž* žena
mulato *m* mulat
multa *ž* pokuta; **poner** *n.* **pegar una ~** dát pokutu
mundial světový
mundo *m* svět; **el ~ entero** celý svět; **todo el ~** všichni lidé, každý
municipal obecní, městský
municipio *m* obec
muñeca *ž* panenka, loutka
museo *m* muzeum
música *ž* hudba
musical hudební
muy velmi

N

***nacer (zc, 8)** narodit se
nacimiento *m* narození
nación *ž* národ
nacional národní
nacionalidad *ž* národnost; státní příslušnost
nada nic; **antes que ~** dříve než cokoli jiného; **de ~** za nic; není zač
nadar plavat
nadie nikdo
Nápoles Neapol
naranja *ž* pomeranč
naranjo *m* pomerančovník
narcotráfico *m* obchod s drogami
nariz *ž* nos
natilla *ž* krém
natural přírodní, přirozený; pocházející (z), rodák (z)
naturaleza *ž* příroda
náutico námořní, mořský
naval námořní, lodní
navegar plavit se, plout
Navidad *ž* vánoce
nazi nacistický; *m* nacista
necesario potřebný, nutný
necesidad *ž* potřeba, nutnost
necesitar potřebovat
***negar (ie, 1)** zapřít, popřít, odepřít
negro černý
Neptuno *m* Neptun
nervioso nervózní
***nevar (ie, 1)** sněžit
nevera *ž* chladnička
ni ani
Nicolás *m* Mikuláš
niebla *ž* mlha
nieto *m* vnuk
nieve *ž* sníh
ninguno žádný
niña *ž* dítě, holčička
niño *m* dítě, chlapeček
nivel *m* úroveň; **~ de vida** životní úroveň; **a ~ de** na úrovni
no ne
noche *ž* noc, večer; **de ~** v noci; **de la ~ a la mañana** přes noc, ze dne na den
Nochebuena *ž* Štědrý večer
nogal *m* ořešák
nombrar jmenovat
nombre *m* jméno, křestní jméno
nordeste *m* severovýchod
normal normální
noroeste *m* severozápad
norte *m* sever
Norteamérica *ž* Severní Amerika
nos nám; nás; se; si
nosotros my
nota *ž* nóta; známka (*školní*)
notar zpozorovat, být znát
noticia *ž* zpráva
noticiero zpravodajský; *m* zpravodajství
novela *ž* román

noveno devátý
noviembre *m* listopad
novia *ž* nevěsta, dívka
novio *m* ženich, mládenec
nube *ž* mrak
nublado zamračený
nuera *ž* snacha
nuestro náš
Nueva York *ž* New York
nueve devět
nuevo nový
nuez *ž* ořech (vlašský)
número *m* číslo
numeroso početný
nunca nikdy

O

o nebo
***obedecer (zc, 9)** poslechnout
objetivo *m* objektiv; cíl
objeto *m* předmět
obligar (a) zavázat, nutit (k); **verse -do (a)** být nucen
obligatorio povinný
obra *ž* dílo
obrero dělnický; *m* dělník
ocasión *ž* příležitost
occidente *m* západ
océano *m* oceán; **O- Atlántico** Atlantský oceán; **O- Pacífico** Tichý oceán
octavo osmý
octubre *m* říjen
ocupación *ž* zaměstnání; okupace
ocupado zaměstnán; obsazen
ocupar obsadit; zastávat (*místo*)
ocurrir udát se, stát se; **-se** napadnout
ocho osm
oeste *m* západ
oficina *ž* kancelář
***ofrecer (zc, 8)** nabídnout; **¿qué se le -e?** co si přejete?
oído *m* sluch; ucho
***oír (20)** slyšet
ojalá kéž (by)
ojo *m* oko
ola *ž* vlna
***oler (ue, 4)** být cítit, páchnout, vonět; čichat, cítit; **~ a limpio** vonět čistotou
olor *m* pach, vůně; čich; **de ~** vonný
olímpico olympijský
olivo *m* olivovník
olvidar zapomenout; **se me -ó** zapomněl jsem
once jedenáct
onda *ž* vlna, vlnění
ónix *m* onyx
ópera *ž* opera
operación *ž* úkon; operace
opinar mínit, soudit
oportunidad *ž* příležitost
oportuno vhodný
optimista optimistický
orden *m* pořádek; pořadí
orden *ž* řád, řehole
ordenar seřadit, uklidit; nařídit, poručit
oreja *ž* ucho
orfebrería *ž* zlatnictví
organización *ž* organizace
organizar organizovat
orientación *ž* orientace
orientar orientovat
oriente *m* východ
origen *m* původ
original původní; *m* originál
originar způsobit
orilla *ž* břeh; **a -s (de)** na březích (*čeho*)
oro *m* zlato
orquesta *ž* orchestr
os vám; vás; si; se
oscuro tmavý
otoño *m* podzim
otro jiný, druhý

P

pabellón *m* pavilón
Pablo *m* Pavel
padre *m* otec; **-s** *mn. č.* rodiče
paella *ž* rizoto s masem a korýši
pagar platit
página *ž* stránka
pago *m* platba; **en ~ (a)** (jako úhradu) za
país *m* země
paisaje *m* krajina
paja *ž* sláma

pajaraco *m* ošklivý pták
pájaro *m* pták
palabra *ž* slovo
palacio *m* palác
palco *m* lóže
pálido bledý
pan chléb; ~ **tostado** topinka
panadería *ž* pekařství
panorama *m* výhled, pohled
pantalón *m* kalhoty; ~ **vaquero** džínsy
pantalla *ž* (filmové) plátno; obrazovka
paño *m* sukno; hadr
pañuelo *m* šátek, kapesník
papa *m* papež
papa *ž A* brambor
papá *m* tatínek
papel *m* papír; ~ **de cartas** dopisní papír
paquete *m* balík; pytlík
par sudý; *m* pár
para pro; ~ **que** aby
parada *ž* zastávka; stanoviště
paraguas *m* deštník
paralización *ž* ochromení
paralizar ochromit
parar zastavit; **estar -ado** stát
parasol *m* slunečník
pardo hnědý
***parecer (zc, 8)** zdát se, připadat; m zdání
pared *ž* stěna, zeď
pareja *ž* dvojice, pár; partnerka
pariente *m* příbuzný
París *m* Paříž
parlamentario parlamentní
paro *m* nezaměstnanost
parque *m* park
parte *ž* část; strana; **de ~ de** od; **de mi ~** ode mne; **la mayor ~** většina; **la menor ~** menšina; **la tercera ~** třetina
participar (en) zúčastnit se (čeho)
particular zvláštní; soukromý
partido *m* (politická) strana; zápas, utkání
partir (para) vyrazit, vyjet, odjet, rozdělit, rozříznout, rozkrojit, rozbít; **a ~ (de)** od; **~ en dos** rozkrojit na dva díly, rozpůlit
pasado uplynulý, minulý; ~ **mañana** pozítří
pasaje *m* jízdenka, letenka
pasajero *m* cestující
pasaporte *m* (cestovní) pas
pasar projít, projet, jít, jet; protékat; strávit, prožít; podat; dít se, stát se, minout
pascuas *mn. č. ž* svátky
pasear procházet se
paseo *m* procházka; třída; **dar un ~** projít se
pasillo *m* chodba
paso *m* krok; **a unos -s de** pár kroků od; **de ~** cestou, přitom
pastel *m* dort, koláč
pastilla *ž* pastilka, tabletka, prášek
pata *ž* pracka, tlapa, noha (*zvířete, nábytku*); **-s arriba** vzhůru nohama
patada *ž* kopnutí
patata *ž* brambor
patio *m* patio, dvůr
patria *ž* vlast
Patricio *m* Patrik
Paula *ž* Pavla
pausa *ž* přestávka
paz *ž* mír
peaje *m* mýtné
peatón *m* chodec
pecho *m* hruď, prsa
***pedir (i, 5)** prosit, žádat
Pedro *m* Petr
pegar lepit; přišít; uštědřit, zasadit; **~ patadas** kopat; **~ una multa** dát pokutu
peinado *m* česání; účes
peinar(se) česat (se)
peine *m* hřeben
pelar loupat
película *ž* film
peligro *m* nebezpečí
peligroso nebezpečný
pelo *m* vlas; vlasy
peluquería *ž* kadeřnictví
pena *ž* trápení, soužení; lítost; **es una ~** to je škoda; **qué ~** škoda
penicilina *ž* penicilin
pensamiento *m* myšlení; myšlenka
***pensar (ie, 1)** myslet, přemýšlet, mínit
pensión *ž* penze; penzión
penúltimo předposlední
peor horší
pequeño malý

*__perder (ie, 2)__ ztratit; prohrát; zmeškat; __-se__ ztratit se; přijít (o něco)
__pérdida__ *ž* ztráta
__perdón__ *m* prominutí, odpuštění
__perdonar__ prominout, odpustit
*__perecer (zc, 8)__ zahynout
__perfeccionar__ zdokonalit
__perfecto__ dokonalý
__perfidia__ *ž* věrolomnost
__perfume__ *m* voňavka
__periódico__ *m* noviny
__periodista__ *m* novinář
__perjudicar__ poškodit, uškodit
*__permanecer (zc, 8)__ setrvat, zůstat
__permanente__ stálý, trvalý
__permiso__ *m* dovolení, povolení
__permitir__ dovolit, povolit
__pero__ ale
__perro__ *m* pes
*__perseguir (i, 5)__ pronásledovat
__persona__ *ž* osoba
__personaje__ *m* osoba, osobnost
__personal__ osobní; *m* osazenstvo, zaměstnanci
__perspectiva__ *ž* perspektiva
__peruano__ peruánský
__pesadilla__ *ž* zlý sen
__pesado__ těžký (*vahou*)
__pesar__ vážit
__pesar__: __a ~ de__ přes; __a ~ de ello__ přesto
__pesca__ *ž* rybolov
__pescado__ *m* ryba (*zabitá*)
__peso__ *m* váha
__peste__ *ž* mor
__petróleo__ *m* petrolej, nafta
__pez__ *m* ryba
__picadura__ *ž* štípnutí, bodnutí
__picar__ štípnout, bodnout
__pie__ *m* noha; __a ~__ pěšky; __al ~ (de)__ na úpatí, u
__piedra__ *ž* kámen
__piel__ *ž* kůže; kožešina
__pierna__ *ž* noha
__pieza__ *ž* kus, kousek
__pijama__ *m* pyžamo
__pilar__ *m* sloup
__piloto__ *m* pilot
__pimienta__ *ž* pepř
__pintado__ namalovaný, vymalovaný
__pintar__ malovat
__piña__ *ž* ananas
__pirámide__ *ž* pyramida
__Pirineo__ *m* Pyreneje
__pisar__ šlápnout, vstoupit (na zem)
__piscina__ *ž* bazén
__piso__ *m* poschodí; byt
__placa__ *ž* deska
__placer__ *m* požitek, potěšení
__plan__ *m* plán
__plano__ *m* plánek, plán, nárys
__plancha__ *ž* plát; žehlička
__planchar__ žehlit
__planta__ *ž* rostlina; podlaží; __~ baja__ přízemí
__plantear__ nadhodit, přednést (*otázku*)
__plata__ *ž* stříbro; *A* peníze
__plátano__ *m* banán
__plato__ *m* talíř; chod; jídlo; __-s combinados__ menu
__playa__ *ž* pláž
__plaza__ *ž* náměstí; __~ de toros__ býčí aréna; __P-Mayor__ hlavní náměstí; místo; __~ sentada__ místenka
__plomo__ *m* olovo
__plural__ *m* množné číslo
__población__ *ž* obyvatelstvo; obec, místo
__pobre__ (*před*) ubohý; (*za*) chudý
__poco__ málo; __~ a ~__ po troškách, po kouskách, pomalu; __por ~__ o málo; __un ~__ trochu
*__poder (21)__ moci; __puede que__ možná že; __puede ser__ je to možné, možná
__poder__ *m* moc
__polémica__ *ž* polemika
__policía__ *ž* policie
__policía__ *m* policista
__policiaco__ policejní; detektivní
__política__ *ž* politika
__político__ politický; *m* politik
__Polonia__ *ž* Polsko
__polvo__ *m* prach; pudr
__pólvora__ *ž* (střelný) prach
__pollo__ *m* kuře
__pomelo__ *m A* grapefruit
*__poner (22)__ položit, dát; __-se__ obléci si
__popular__ lidový
__por__ (*příčinné*) pro, za; *předl. 7. p.;* skrz; krát; __cuatro ~ dos__ čtyři krát dvě
__porcelana__ *ž* porcelán
__porcino__ vepřový

porque protože
portamonedas *m* peněženka
portero *m* vrátný
Portugal *m* Portugalsko
portugués portugalský; *m* Portugalec; portugalština
posible možný
posición *ž* postavení
postal poštovní; *ž* lístek
posterior pozdější, zadní
potencial potenciální
postre *m* zákusek
práctica *ž* praxe
practicar provozovat
práctico praktický
Praga *ž* Praha
precio *m* cena
precioso drahocenný, nádherný
preciso přesný; potřebný; **es ~** je třeba
precolonbino předkolumbovský
***preferir (ie, i, 6)** dát přednost, mít raději
pregunta *ž* otázka; **hacer una ~** položit otázku
preguntar ptát se
premio *m* cena, prémie
prensa *ž* tisk, lis
preocupar(se) starat (se), dělat (si) starosti
preparar připravit
presa *ž* přehrada
prescripción *ž* předpis
presentación *ž* představení
presentar představit; **-se** představit se
presencia *ž* přítomnost
presente přítomný; *m* přítomnost, přítomný čas
presidencia *ž* předsednictvo
presidente *m* prezident, předseda
prestación *ž* dávka
prestar půjčit, propůjčit, poskytnout
prestigioso prestižní
presumir domýšlet se, předpokládat; být domýšlivý, dělat ze sebe
***prever (31)** předvídat
prima *ž* sestřenice; prémie
primario prvotní; první; (*škola*) obecný, prvního stupně
primavera *ž* jaro
primero první; zaprvé
primo *m* bratranec
princesa *ž* princezna
principal hlavní
príncipe *m* princ
principio *m* začátek; **al ~** zpočátku; **a -s (de)** počátkem
prisa *ž* spěch; **darse ~** pospíšit si; **de ~** rychle, honem, spěšně; **tener ~** mít naspěch
privado soukromý
privilegio *m* privilej, výsada
probable pravděpodobný
***probar (ue, 3)** zkusit; ochutnat
problema *m* problém
procedente (de) pocházející (z)
proceder (de) pocházet (z)
proclama *ž* vyhlášení, provolání; ohláška
proclamación *ž* vyhlášení
proclamar vyhlásit, prohlásit
procurar snažit se
producción *ž* výroba
***producir (zc, 9)** vyrábět, dávat; **-se** udát se, dojít k
productividad *ž* produktivita
producto *m* výrobek, plod
productor *m* výrobce
profesión *ž* zaměstnání, povolání
profesional profesionální, odborný; *m* profesionál, odborník
profesor *m* profesor
profundidad *ž* hloubka
profundo hluboký
programa *m* program
programación *ž* programování; programy
prohibir zakázat
promedio *m* průměr
promesa *ž* slib
prometer slíbit
pronto brzy; **tan ~ como** jakmile
pronunciación *ž* výslovnost
pronunciar vyslovovat
propina *ž* spropitné
propiedad *ž* vlastnictví
propietario *m* vlastník, majitel
propio vlastní; sám
***proseguir (i, 5)** pokračovat
próspero zdárný, úspěšný
protección *ž* ochrana
protestar protestovat

*__provenir (30)__ pocházet
provincia *ž* provincie
provocar vyvolat
próximo příští; blízký
psiquiatra *m* psychiatr
psiquiátrico psychiatrický
publicar uveřejnit
publicidad *ž* reklama
público veřejný
pueblo *m* lid
puente *m* most
puerta *ž* brána, dveře
puerto *m* přístav; **P- Rico** Portoriko
pues tedy
puesto *m* místo; stánek; stanice
pulmonía *ž* zápal plic
pulsar stisknout
punto *m* bod, tečka; **en** ~ přesně; **hacer** ~ plést
puntual přesný, dochvilný
puro čistý; *m* doutník

Q

que že, neboť; ať, nechť, aby; než
que který, jenž
¿qué co?, který?, jaký?; **¿por** ~? proč
quedar zbývat; **-se** zůstat; **-se con** nechat si
quemar pálit
*__querer (23)__ chtít; milovat
querido milovaný, drahý
queso *m* sýr
quien kdo, jenž
¿quién? kdo?
quilate *m* karát
química *ž* chemie
químico chemický
quince patnáct
quincena *ž* patnáctka, patnáct (dní)
quintal *m* **(métrico)** (metrický) cent
quinto pátý
quiosco *m* kiosk, stánek
quitar odejmout, vzít, dát pryč; opustit, zanechat; ~ **el polvo** utřít prach; ~ **la televisión** vypnout televizi
quizá(s) snad

R

racial rasový
radical radikální
radio *m*, *ž* rádio
radiografía *ž* rentgenový snímek
rana *ž* žába
rancho *m* ranče
rápido rychlý
raro řídký, divný
rastro *m* stopa
rato *m* chvíle
raza *ž* rasa
razón *ž* rozum; **tener** ~ mít pravdu
*__reabrir (33)__ znovu otevřít
reacción *ž* reakce, reagování
readmitir znovu připustit
real skutečný; královský
realidad *ž* skutečnost
realizar uskutečnit
reanimar znovu oživit, vzpružit
*__reaparecer (zc, 8)__ znovu se objevit
rebaja *ž* sleva
rebelde povstalecký, odbojný
rebuznar hýkat
*__recaer (13)__ znovu upadnout; ~ **(en)** připadnout (na)
recepción *ž* recepce, příjem
recetar předepsat
recibir dostat, obdržet
recibo *m* přijetí; stvrzenka
reciente nedávný, nový
recoger sebrat, sklízet; **ir a** ~ dojít pro, stavit se pro
*__recomendar (ie, 1)__ doporučit
reconquista *ž* znovudobytí
*__reconstruir (y, 10)__ znovu budovat, přestavět
*__recordar (ue, 3)__ vzpomínat
recorrer ujít, ujet, projít, projet, procestovat
recorrido *m* cesta; prohlídka
rectorado *m* rektorát
recuerdo *m* vzpomínka; **dar -s** pozdravovat
recuperar získat zpět
recurrir (a) utéci se, uchýlit se (k), obrátit se (na)

red *ž* síť
redacción *ž* redakce
redondo kulatý
reducción *ž* zmenšení, snížení
***reducir (zc, 9)** zmenšit, snížit
reeducar převychovat
***reelegir (i, 5)** znovu zvolit
reexportar dále vyvážet, reexportovat
reforma *ž* reforma, přeměna
refrán *m* přísloví
refresco *m* osvěžující nápoj, limonáda, občerstvení
refrigerador *m* chladnička
refugiarse utéci se
refugio *m* útočiště
regalar darovat, dát
regalo *m* dárek, dar
régimen *m* režim, zřízení
región *ž* kraj
regresar vrátit se
regreso *m* návrat
***rehacer (18)** předělat, udělat znovu
***reír (i, 5)** smát se; **-se (de)** smát se (komu)
reivindicación *ž* požadavek
reivindicar požadovat
relación *ž* vztah, poměr
relámpago *m* blesk
relampaguear blýskat se
relatar vyprávět, líčit
relativo poměrný
religioso náboženský, církevní
reloj *m* hodiny, hodinky
rellenar vyplnit
remar veslovat
remedio *m* lék; **no queda otro ~ (que)** nezbývá, (než)
remitente *m* odesílatel
remolacha *ž* řepa; **~ azucarera** cukrová řepa
***renacer (zc, 8)** znovu se narodit; ožít; obrodit (se)
***rendir(se) (i, 5)** vzdát (se)
renta *ž* renta, výnos
repartir rozdělit
repente: **de ~** náhle
***repetir (i, 5)** opakovat
repintar znovu vymalovat, přemalovat
reportero *m* reportér
representación *ž* představení; zastoupení
representar představovat, zastupovat
reprochar vyčítat
reproducción *ž* reprodukce
república *ž* republika
resbalar uklouznout
rescatar zachránit
rescate *m* záchrana
reserva *ž* zásoba; rezervování; místenka
reservar zamluvit (si)
resfriado *m* nachlazení
***resfriarse (í, 34)** nachladit se
residencia *ž* sídlo, vila; kolej
resistencia *ž* odpor, odboj
resistir klást odpor, odporovat
***resolver (ue, 4, 33)** rozhodnout; vyřešit
respirar dýchat
responder odpovědět
responsabilidad *ž* odpovědnost
responsable odpovědný
respuesta *ž* odpověď
restaurante, restorán *m* restaurace
restitución *ž* restituce
resto *m* zbytek
resultado *m* výsledek
retiro *m* zátiší
retrasar(se) zpozdit (se)
retraso *m* zpoždění; **llevar** *n.* **traer ~** mít zpoždění
retratar portrétovat, fotografovat
retrato *m* portrét, podobizna
reunión *ž* schůze
***reunir (ú, 34)** spojit, shromáždit, sjednotit; **-se** shromáždit se, sejít se
revender znovu prodat
revista *ž* časopis
revivir ožít, znovu prožít
revoltillo *m* míchaný pokrm; **~ de huevos** míchaná vejce
revolución *ž* revoluce
rey *m* král; **los Reyes** *mn. č.* král a královna, královští manželé
Ricardo *m* Richard
rico bohatý; chutný
ridículo směšný; **caer en el ~** stát se směšným, zesměšnit se
rincón *m* kout
río *m* řeka
riqueza *ž* bohatství

robar ukrást
roble *m* dub
robo *m* krádež
rodear obklíčit, obklopit
rodilla *ž* koleno
***rogar (ue, 3)** prosit
rojo červený, rudý
romántico romantický
romper (33) zlomit
ron *m* rum
ronda *ž* kulaté náměstíčko
ropa *ž* šatstvo, prádlo
rosa *ž* růže; růžový
Rosa *ž* Růžena
rubio světlovlasý
ruido *m* hluk
ruso ruský; *m* Rus; ruština

S

sábado *m* sobota
***saber (24)** vědět, umět
sabiendas: **a ~** vědomě
sacar vytáhnout, vytrhnout, vyndat; koupit; **~ en limpio** napsat načisto; **~ la lengua** vypláznout jazyk; **~ una foto** udělat snímek
sal *ž* sůl
sala *ž* sál; hala; **~ de lectura** čítárna; **~ de tránsito** tranzitní prostor
salarial mzdový
salario *m* mzda
saldo *m* saldo; výprodej
salida *ž* východ, odjezd, odlet
***salir (25)** jít, jet ven, vyjít, vyjet, odletět; **~ bien (mal)** dobře (špatně dopadnout; **~ de compras** jít na nákup
salitre *m* ledek
salón *m* salón, sál
salsa *ž* omáčka
saltar skákat
salud *ž* zdraví; **¡~!** nazdar! **¡a su ~!** na vaše zdraví!
saludar zdravit; **~ con la mano** zamávat na pozdrav
saludo *m* pozdrav
salvar zachránit
sangre *ž* krev
sangriento krvavý
sanidad *ž* zdravotnictví
sano zdravý
Santiago *m* Jakub
santo svatý; *m* světec; jmeniny
sardina *ž* sardinka; **~ en aceite** olejovka
sartén *ž* pánev
satélite *m* satelit
satisfacción *ž* uspokojení
se se, si
Sebastián *m* Šebestián
secar sušit
sección *ž* úsek, oddělení
seco suchý
secretario *m* tajemník
secundario druhotný; (*škola*) střední, druhého stupně
sed *ž* žízeň
seda *ž* hedvábí
sede *ž* sídlo
segadora *ž* žací stroj; **~-trilladora** *ž* kombajn
***segar (ie, 1)** sekat, žnout
seguida: **en ~** ihned
***seguir (i, 5)** následovat, sledovat, pokračovat
según podle
segundo druhý; *m* vteřina
seguro jistý, bezpečný
seis šest
sello *m* razítko; známka (*poštovní*)
semana *ž* týden; **S- Santa** velikonoční týden
sembradora *ž* secí stroj
***sembrar (ie, 1)** sít
sencillo jednoduchý, prostý
***sentar (ie, 1)** posadit; slušet; **~ bien** dělat dobře; **~ mal** nedělat dobře; **-se** sednout si
sentimental sentimentální, citový
***sentir (ie, i, 6)** cítit, litovat; **-se** cítit se, být
señal *ž* znamení, značka, signál; **dar -es de vida** jevit známky života, dát o sobě vědět
señalar označit
señas *mn. č. ž* adresa
señor *m* pán
señora *ž* paní

señorita *ž* slečna
separar oddělit
septiembre *m* září
séptimo sedmý
***ser (26)** být; *m* bytí, bytost
serie *ž* série; seriál
serio vážný
serrano horský
servicio *m* služba; servis; **entrar en ~** zahájit provoz, být dán do provozu
servilleta *ž* ubrousek
servidor *m* služebník
***servir (i, 5)** sloužit, obsloužit, podávat (jídlo); **~ de** sloužit za, dělat
sesión *ž* sezení, zasedání; představení
setiembre *m* září
sevillano sevilský
sexo *m* pohlaví
sexto šestý
si zda, jestli, jestliže, kdyby
sí ano
siega *ž* sekání, žně
siembra *ž* setí; osev
siempre vždy, vždycky; **~ que** pokaždé když, kdykoli; pokud
sierra *ž* pohoří, horstvo
siesta *ž* siesta, odpolední spánek
siete sedm
siglo *m* století
significar znamenat
siguiente následující
sillón *m* křeslo
sima *ž* propast
simbólico symbolický
simpático sympatický
simple (*před*) prostý, pouhý; (*za*) prostý, prostoduchý
sin bez; **~ que** aniž (by)
sincero upřímný
sindicato *m* odbory
sino nýbrž
siquiera snad, ani; **ni** ~ ani
sistema *m* systém
sitio *m* místo
situación *ž* situace
***situar (ú, 34)** umístit
sobrar přebývat, zbývat
sobre o; nad, na; **~ todo** především; *m* obálka
sobretasa *ž* příplatek
sobrina *ž* neteř
sobrino *m* synovec
social sociální, společenský
socorro *m* pomoc
sofá *m* pohovka
sol *m* slunce; **tomar (el) ~** slunit se
solar *m* parcela
soldado *m* voják
soledad *ž* samota
***soler (ue, 4)** mít ve zvyku
solicitar žádat
solidaridad *ž* solidarita
solo sám; **uno ~** jediný
sólo pouze
***soltar (ue, 3)** pustit, uvolnit, rozvázat
soltero svobodný (*ne ženatý*); **de ~** za svobodna
solución *ž* řešení
sombra *ž* stín; **a la ~** do, ve stínu
sombrero *m* klobouk
sombrilla *ž* slunečník
***sonar (ue, 3)** znít
sonoro zvukový, zvučný
***sonreír (i, 5)** usmát se
***soñar (con)** snít (o)
sopa *ž* polévka; **~ de letras** slovní bludiště
sopero polévkový
soportable snesitelný
sorprender překvapit
sorpresa *ž* překvapení
sospecha *ž* podezření
***sostener (27)** podržet
su jeho, její, jejich, váš, svůj
subdesarrollado méně vyvinutý, zaostalý
subdesarrollo *m* zaostalost
subir nastoupit, jít, jet nahoru
suceder stát se, udát se
sucio špinavý; **ponerse ~** ušpinit se
sucursal *ž* filiálka
sudar potit se
sudeste *m* jihovýchod
sudoeste *m* jihozápad
sueco švédský; *m* Švéd
suegro *m* tchán
sueldo *m* plat
sueño *m* sen; spánek; **tengo ~** chce se mi spát, jsem ospalý

suerte *ž* osud, štěstí; **tener ~** mít štěstí; **tener mala ~** mít smůlu; **~ que** ještě štěstí, že
sufrir trpět, utrpět
suizo švýcarský; *m* Švýcar
sumar připočítat, sčítat; **-se** připojit se, přidat se
superar překonat
superficie *ž* povrch
superior vyšší
supermercado *m* velkoprodejna, supermarket
suplemento *m* přídavek, příplatek
suplicar (snažně) prosit
***suponer (22)** předpokládat
supuesto předpokládaný; **por ~** samozřejmě
sur *m* jih
Susana *ž* Zuzana
suspender nechat propadnout; **quedar suspendido** propadnout
suspirar vzdychat
suspiro *m* vzdech
suyo jeho, její, jejich, váš, svůj

T

tabaco *m* tabák
tal takový; **¿qué ~?** jak se vede, daří?; **¿qué ~ el viaje?** jaká byla cesta?; **~ vez** snad; **con ~ que** pokud, s podmínkou, že
taller *m* dílna, ateliér
también také
tampoco také ne
tan tak
tanto tolik; **~ ... como** tolik ... jako, tak ... jak; **~ ... cuanto** tolik ... kolik
tapa *ž* předkrm
tapadera *ž* poklička
tapar přikrýt, zakrýt, zacpat
***taquigrafiar (í, 34)** psát těsnopisem
taquigrafía *ž* těsnopis
taquilla *ž* okénko, pokladna
tardar (en) zdržet se, trvat
tarde pozdě; *ž* odpoledne; **a media ~** v polovině odpoledne
tarea *ž* úkol
tarifa *ž* tarif
tarjeta *ž* lístek; **~ de visita** navštívenka; **~ postal** pohlednice
tasa *ž* sazba
taxi *m* taxi
taxímetro *m* taxametr
taza *ž* šálek
te ti, tě, si, se
té *m* čaj
teatro *m* divadlo
técnico technický; *m* technik
tejer plést
tela *ž* látka
telediario *m* televizní zpravodajství
telefonear telefonovat
telefonista *m* telefonista
teléfono *m* telefon
telegrama *m* telegram
telenovela *ž* televizní seriál
televidente *m* televizní divák
televisión *ž* televize
temer bát se
temperatura *ž* teplota
tempestad *ž* bouře
templo *m* chrám
temprano časně, brzy
tenderete *m* stánek
tendero *m* stánkař
tenedor *m* vidlička
***tener (27)** mít; **~ que** muset
teoría *ž* teorie
teórico teoretický
tercero třetí
terminar končit; **dar por -ado** považovat za ukončené
termómetro *m* teploměr
ternera *ž* tele
terreno *m* terén
terrestre pozemní, pozemský, zemský
terrible strašný
territorio *m* území
terror *m* teror
terrorismo *m* terorismus
terrorista *m* terorista
testigo *m* svědek
texto *m* text
tía *ž* teta
tío *m* strýc
tiempo *m* čas; počasí; **a ~** včas; **al mismo**

~ zároveň; **mucho ~** dlouho; **poco ~** krátce; **hace buen ~** je hezky; **no me da ~ (de)** nestačí mi čas (abych)
tierra *ž* země, půda; **T- del Fuego** Ohňová země
tifón *m* tajfun
tinto červený (*víno*)
típico typický
tirar hodit, vyhodit, zahodit; **~ una foto** udělat snímek
tirón *m* vytrhnutí, strhnutí (kabelky)
título *m* titul
toalla *ž* ručník
tocadiscos *m* gramofon
tocar dotknout se, týkat se, připadnout; hrát; **me toca** je na mně řada, je na mně, abych
todavía ještě, dosud
todo vše; **ante ~** především; **con ~** nicméně, i tak; **~ el** celý; **-s** všichni; **-s los** všichni, každý
tomar vzít; jet; dát si, sníst, vypít si; **~ por** považovat za
Tomás *m* Tomáš
tomate *m* rajské jablíčko
tonelada *ž* tuna
tonto hloupý; *m* hlupák
torero *m* toreador
toro *m* býk; *mn. č.* býci; býčí zápasy
toronja *ž* grapefruit
torre *ž* věž
tortilla *ž* omeleta
tos *ž* kašel
toser kašlat
tostada *ž* topinka
tostado opečený, opékaný
trabajador pracovitý; *m* pracující
trabajo *m* práce
tradición *ž* tradice
traducción *ž* překlad
***traducir (zc, 9)** překládat
traductor *m* překladatel
***traer (28)** přinést, přivézt; **¡trae!** ukaž, dej to sem!
tráfico *m* provoz; doprava
trágico tragický
trago *m* doušek
traje *m* oblek; **~ de baño** plavky
tranquilidad *ž* klid
tranquilo klidný
transbordar přestoupit, přesedat
transbordo *m* přestupování, přesedání
transeúnte *m* kolemjdoucí; tranzitní cestující
tránsito *m* tranzit; přechod, průjezd
transmisión *ž* přenos
transmitir přenášet, vysílat
transporte *m* doprava
tranvía *m* tramvaj
tras po, za
trasbordar přestoupit, přesedat
trasladar(se) přemístit (se), přestěhovat (se)
tratado *m* smlouva
tratamiento *m* oslovení; péče, zacházení
tratar (de) snažit se (o); pojednávat (o)
través: **a ~ (de)** přes, skrze
trayecto *m* trať, dráha
trece třináct
trecho *m* vzdálenost, kus cesty
treinta třicet
tremendo strašlivý
tren *m* vlak
trenza *ž* cop
tres tři
tribu *m* kmen
tribunal *m* soud, tribunál
trigo *m* obilí
trilladora *ž* mlátička
trillar mlátit (*obilí*)
tripulación *ž* posádka
triste smutný
***tronar (ue, 3)** hřmít
tropa *ž* vojenský oddíl, vojsko
tropical tropický
trozo *m* kus, kousek
trucha *ž* pstruh
trueno *m* hrom, hřmění
tu tvůj
tú ty
tuberculosis *ž* tuberkulóza
turismo *m* turistika, cizinecký ruch
turista *m* turista
turístico turistický
tuyo tvůj

U

u nebo
último poslední
ultracorto ultrakrátký, velmi krátký
un jeden; *člen neurčitý*
undécimo jedenáctý
único jediný; jednotný; jedinečný
unidad *ž* jednotka
unido spojený
uniforme *m* stejnokroj
unión *ž* jednota, unie
unir spojit
universal světový
universidad *ž* univerzita
universitario univerzitní; *m* vysokoškolák
universo *m* vesmír, svět
uno jeden; *mn. č.* několik
urbe *ž* (velké) město
uruguayo uruguajský; *m* Uruguajec
usar užívat, upotřebit
uso *m* použití, upotřebení
usted vy
utilizar použít, upotřebit
uva *ž* hroznové víno

V

vaca *ž* kráva
vacaciones *mn. č. ž* prázdniny
vacío prázdný
vacuna *ž* očkovací látka; očkování
vacuno hovězí
vagón *m* vagón
vainilla *ž* vanilka
valenciano valencijský
***valer (29)** mít cenu, hodnotu; **-e** platí, ano; **más -e** je lépe, raději
valor *m* cena, hodnota; odvaha
valorar ocenit, ohodnotit
valle *m* údolí
vapor *m* pára
vaquero *m* honák krav, kovboj
variación *ž* obměna
variado míchaný, různý
varios (*před*) několik; (*za*) různí
vasco baskický; *m* Bask
vaso *m* sklenice
vecino *m* soused
veinte dvacet
vela *ž* svíce
velocidad *ž* rychlost
vencer zvítězit, přemoci
Venceslao *m* Václav
vendedor *m* prodavač
vender prodat
***venir (30)** přijít, přijet, jít, jet; **el año que viene** nadcházející, příští rok
venta *ž* prodej
ventaja *ž* výhoda
ventana *ž* okno
ventanilla *ž* okénko
***ver (31)** vidět
verano *m* léto
verbal slovní, ústní
verdad *ž* pravda
verde zelený
verdura *ž* zelenina
versión *ž* verze
***verter (ie, 2)** vlít
vestíbulo *m* vestibul
vestido *m* oblek
***vestir (i, 5)** šatit (se), obléci (si)
vez krát; **a veces** někdy, občas; **de ~ en cuando** občas; **en ~ de** místo; **una ~** jednou; **una ~ pelado** po oloupání; **de una ~** najednou; **una ~ que** jakmile; **toda ~ que** pokaždé když, kdykoli; **muchas veces** mnohokrát
vía *ž* kolej
viajar cestovat
viaje *m* cesta
viajero *m* cestující, cestovatel
Vicente *m* Vincenc
vicepresidente *m* místopředseda
vicio *m* neřest, zlozvyk
víctima *ž* oběť
victoria *ž* vítězství
vida *ž* život
vídeo *m* video
viejo starý
viento *m* vítr; **hace** *n.* **hay ~** je vítr
viernes *m* pátek
vigilancia *ž* bdělost; dohled
villa *ž* město

vinagre *m* ocet
vino *m* víno; ~ **con gaseosa** vinný střik
viñedo *m* vinice
violín *m* housle
visado *m* vízum
visita *ž* návštěva
visitar navštívit
Vito *m* Vít
viudo *m* vdovec
vista *ž* vidění; zrak; pohled; **hasta la ~** na shledanou
vitamina *ž* vitamín
vivienda *ž* obydlí, byt; **barrio de ~** obytná čtvrť, sídliště
vivir žít; bydlet
vocablo *m* slovíčko
***volar (ue, 3)** letět
volcán *m* sopka
***volcar (ue, 3)** převrhnout, překlopit, obrátit
voluntad *ž* vůle
voluntario dobrovolný
***volver (32)** vrátit se; **~ a leer** znovu část; **~ la cabeza** obrátit se; **-se loco** zbláznit se
vosotros vy
voz *ž* hlas; **en ~ alta** nahlas; **en ~ baja** potichu; **bajar (subir) la voz** ztišit (zvýšit, zesílit) hlas
vuelo *m* let
vuelta *ž* otočení, okruh; návrat, cesta zpět; peníze zpět; procházka; **a la ~ (de)** za; **dar una ~** projít se; obrátit se, otočit se
vuelto *m A* peníze zpět
vuestro váš

Y

y a
ya již, však
yacimiento *m* ložisko
yanqui yankeeský, americký
yerno *m* zeť
yo já
yogur *m* jogurt

Z

zafar(se) uvolnit (se), rozvázat (si)
zapato *m* střevíc
zócalo *m A* náměstí
zona *ž* zóna, oblast
zoo, zoológico *m* zoologická zahrada
zumbido *m* bzukot, svištění
zumo *m* šťáva

LATINSKOAMERICKÉ ZEMĚ

Argentina	argentino *argentinský*
Bolivia	boliviano *bolivijský*
Brasil	brasileño *brazilský*
Colombia	colombiano *kolumbijský*
Costa Rica	costarriqueño *n.* costarricense *kostarický*
Cuba	cubano *kubánský*
Chile	chileno *chilský*
República Dominicana	dominicano *dominikánský*
Ecuador	ecuatoriano *ekvádorský*
Granada	granadino *granadský*
Guatemala	guatemalteco *guatemalský*
Haití	haitiano *haitský*
Honduras	hondureño *honduraský*
Jamaica	jamaiquino *jamajský*
México	mexicano *mexický*
Nicaragua	nicaragüense *nikaragujský*
Panamá	panameño *panamský*
Paraguay	paraguayo *paraguajský*
Perú	peruano *peruánský*
Puerto Rico	puertorriqueño *portorický*
El Salvador	salvadoreño *salvadorský*
Uruguay	uruguayo *uruguajský*
Venezuela	venezolano *venezuelský*

ČESKO-ŠPANĚLSKÝ SLOVNÍK

A

a y, e
aby que, para que
adresa dirección *ž*
Akademie věd Academia *ž* de Ciencias
aktovka cartera *ž*
ale pero
americký americano
Amerika América *ž*
Amsterodam Amsterdam *n*. Amsterdán *m*
angína angina *ž*
anglický inglés
angličtina inglés *m*
ani ni; **dokonce** ~ ni siquiera
aniž sin que
ano sí
Antonín Antonio *m*
armáda ejército *m*
ateliér taller *m*
ať que
auto automóvil *m*
autobus autobús *m*
až cuando; ~ **na**, **k** hasta
avšak mas, pero

B

babička abuela *f*
balkon balcón *m*
banka banco *m*
baret boina *ž*
bavit (se) *divertir(se) (ir, i, 6)
během durante
biftek bisté *m*
bílý blanco
bistro bar *m*
blahopřání felicitación *ž*
blízko cerca (de)
bohatý rico
boj (za) lucha *ž* (por)
bojovat luchar, combatir
bojovník combatiente *m*
bolest dolor *m*
bolet *doler (ue, 4)
bota zapato *m*
brambor patata *ž*
brát tomar; cobrar
bratr hermano *m*
Brazílie Brasil *m*
brigáda brigada *f*
brzy pronto; (*časně*) temprano
budova edificio *m*
budovat *construir (y, 10)
bydlet vivir
byt casa *ž*, piso *m*, apartamento *m*
být *ser (26), *estar (16)
bývalý antiguo

C

celník aduanero *m*
celý todo el, entero
cesta camino *m; (cestování)* viaje *m;*
Šťastnou cestu! ¡Buen viaje!
cestovat viajar
cibule cebolla *ž*
cíl meta *ž*
cítit *sentir (ie, i, 6)
cizí extranjero
cizina, **cizinec** extranjero *m*
co? ¿qué?
což lo que
cvičení ejercicio *m*
čaj té *m*
čas tiempo *m*
časně temprano
často a menudo
Čech checo *m*
čekat esperar
černý negro
čerstvý fresco
červen junio *m*
český checo
čeština checo *m*
četný numeroso
čí? ¿cuyo?, ¿de quién?
čím... tím cuanto... tanto
čistý limpio
člověk hombre *m*
čočka lentejas *mn. č. ž*
čtvrt cuarto *m*
čtvrť barrio *m*
čtvrtek jueves *m*

D

daleko lejos
dálnice autopista *ž*
další otro
daň impuesto *m;* **~ z přidané hodnoty** impuesto sobre el valor añadido
dárek regalo *m*
dát *dar (14); (*položit*) *poner (22); **~ se (do)** *ponerse (22) (a), echarse (a); **~ si** tomar
datum fecha *ž*
dcera hija *ž*
dělat *hacer (18); (*pracovat jako*) *servir (i, 5) (de)
déle más tiempo
delegát delegado *m*
demokracie democracia *ž*
demokratický democrático
den día *m;* **za ~** al día; **ze dne na ~** de noche a la mañana
desetiletý de diez años
desetina décimo *m;* décima parte *ž*
deska disco *m*
deštník paraguas *m*
devět nueve
dělnický obrero
dělník obrero *m*
díky gracias *mn. č. ž*
dílna taller *m*
dílo obra *ž*
diplom diploma *m*
diplomat diplomático *m*
diskutovat discutir
dít se pasar
dítě niño *m;* (*syn*) hijo *m*
divadlo teatro *m*
dívka muchacha *ž;* (*nevěsta*) novia *ž*
dirigent director (de orquesta) *m*
dirigovat dirigir
dlouho mucho tiempo; **jak ~?** ¿cuánto tiempo? ¿cuánto?
dnes hoy; **~ odpoledne** esta tarde
dnešní de hoy, este
dobrý bueno
dobře bien
dobytek ganado *m*
dojatý impresionado
dojem impresión *ž*
dokončit terminar
doktor doctor *m*
dokumentace documentación *ž*
dolar dólar *m*
donést llevar
donutit obligar (a)
dopadnout (dobře) *salir (25) (bien)
dopis carta *ž*
doporučeně (*podat*) certificar
doporučit *recomendar (ie, 1)
doprovodit acompañar
dopředu adelante
dost bastante
doutník puro *m*
dovolit permitir
dovoz importación *ž*
DPH IVA
drahý caro; (*oslovení*) querido
druhý segundo; (*jiný*) otro
družstvo cooperativa *ž*
dříve antes; **~ než** antes de que
důležitý importante
dva dos
dvacet veinte
dveře puerta *ž*
dvojice pareja *ž*
džem mermelada *ž*

E

elektrický eléctrico
elektronický electrónico
evropský europeo
existovat existir
expres expreso *m*

F

fakt hecho *m*
fakulta facultad *ž*
fašismus fascismo *m*
fašistický fascista
film filme *m*, película *ž*
filmový de(l) cine
fotografie fotografía *ž;* **udělat -i** sacar *n.* tirar una foto

fotokopie fotocopia *ž*
Francouz, francouzský francés *(m)*
fronta frente *m*
fungovat funcionar
funkce cargo *m*

G

galerie galería *ž*
generální general
gram gramo *m*
gramofon tocadiscos *m*

H

Havana La Habana *ž*
hezký bonito, guapo
hlad hambre (el) *ž*
hlava cabeza *ž*
hledat buscar
hluk ruido *m*
hned enseguida; ~ **zítra** mañana mismo
hnout (se) *mover(se) (ue, 4)
hnutí movimiento *m*
ho le, lo
hodina hora *ž;* **v kolik hodin** ¿a qué hora?; (*učební*) clase *ž*
hodinky, **hodiny** reloj *m*
hodit echar; ~ **se** *convenir (30)
hodnota valor *m*
holčička niña *ž*
holit se afeitarse
hora montaña *ž*
horečka fiebre *ž*
horko mucho calor *m*
hotel hotel *m*
hotový listo
hračka juguete *m*
hrát (si) *jugar (ue, 3); ~ **si (na)** jugar a; ~ **na** (*hudební nástroj*) tocar; ~ (*dávat film*) *poner (22), echar; (*fungovat*) funcionar
hrdina héroe *m*
hrdinný heroico
hřbitov cementerio *m*
hudba música *ž*
hutník metalúrgico *m*
hýbat se *moverse (ue, 4)

Ch

chmel lúpulo *m*
chodit *andar (11), *ir (19)
chodník acera *ž*
chov cría *ž*
chřest espárragos *mn. č. m*
chtít *querer (23)
chudý pobre (*za podst. jm.*)
chutnání: **Dobré ~**! ¡Que (le) aproveche!
chutnat gustar, *apetecer (zc, 8)
chutný rico
chuť gusto *m;* **nemám ~** no me da la gana

I

Ignác Ignacio *m*
inženýr ingeniero *m;* **zemědělský ~** ingeniero agrónomo

J

já yo; **se mnou** conmigo
Jáchym Joaquín *m*
jak? ¿cómo?
jakby ne! ¡cómo no!
jako como; ~ **mladý** (*v mládí*) de joven
jaký? ¿cuál?, ¿qué?
Jan Juan *m*
jaro primavera *ž*
jazyk lengua *ž*
je (*býti*) es
je (*oni; ony*) les, los, las
jeden uno
jednolůžkový individual
jeho, jej le, lo
jeho, její, jejich su, suyo
jestli si
ještě todavía
jet *ir (19)
jezdit (*kudy*) pasar (por)
ježto que, ya que
ji *(ona)* la
jí *(ona)* le
jídlo comida *ž*; **před -em** antes de comer
jih sur *m*
jim *(oni; ony)* les

jiný otro
jistě por cierto
jistý cierto, seguro
jít *ir (19); ~ **dolů** bajar; ~ **nahoru** subir; ~ **ven** *salir (25); ~ **pro** ir por, ir a recoger, ir a buscar; ~ **naproti** ir a esperar; ~ **k tíži** correr a cargo; **to mi nejde do hlavy** eso no me cabe en la cabeza
již ya
jméno nombre *m*
jmenovat nombrar; ~ **se** llamarse

K

k a; hacia; hasta
kabela bolso *m*
kam? ¿a dónde?, ¿adónde?
kamera cámara *ž*
kancléřství cancillería *ž*
katedrála catedral *ž*
káva, kavárna café *m*
každý cada; todos los
kde? ¿dónde?
kdo? ¿quién?
kdyby si
kdykoli siempre que; cada vez que
kilo kilo *m*
kilogram kilogramo *m*
kilometr kilómetro *m*
kino cine *m*
klíč llave *ž*
klidný tranquilo
klimatizace aire *m* acondicionado
kniha libro *m*
knihovna biblioteca *ž*
koho? ¿a quién?
kokain cocaína *ž*
kolej vía *ž; (studentská)* residencia ž (estudiantil)
kolem alrededor (de); ~ **sedmé** a eso de las siete
kolik? ¿cuánto?; **za ~?** ¿a cuánto?; **kolikátého je?** ¿a cuántos estamos?
Kolumbie Colombia *ž*
Kolumbus (Kryštof) Colón (Cristóbal) *m*
komár mosquito *m*
komisařství comisaría *ž*
komu? ¿a quién?
konat se *tener (27) lugar
koncert concierto *m*
konec fin *m*, final *m;* cabo *m;* **koncem měsíce** a finales del mes; **do konce měsíce** hasta finales del mes; **učinit** ~ *(čemu)* *poner (22) fin (a); **být u konce** *estar (16) al cabo
konference conferencia *ž;* **tisková** ~ conferencia de Prensa
koňak coñac *m*
kortesy Cortes *mn. č. ž*
koupat (se) bañar(se)
koupelna (cuarto de) baño *m*
koupit comprar
kraj región *ž*
krát vez; **dvakrát** dos veces
krk garganta *ž*
krmit echar de comer
Kryštof Cristóbal *m*
který? ¿qué?, ¿cuál?
kterýkoli cualquiera
Kuba Cuba *ž*
Kubánec, kubánský cubano (*m*)
kudy? ¿por dónde?
kytara guitarra *ž*

L

laciný barato
láhev botella *ž*
laskavost favor *m*
laskavý: **být tak** ~ *tener (27) la bondad (de); *hacer (18) el favor (de)
Latinská Amerika América *ž* Latina
latinskoamerický latinoamericano
leden enero *m*
lehký (*snadný*) fácil
lehnout si *acostarse (ue, 3)
lékař médico *m*
lekce lección *ž*
lépe mejor
lepšit se mejorar
les bosque *m*
let vuelo *m*
letecký de aviación, aéreo
letecky por avión
letenka pasaje (de avión) *m*
letět *ir (19) (en avión); pasar; *volar (ue, 3)

letiště aeropuerto *m*
léto verano *m;* **kolik je vám let?** ¿qué edad tiene usted?
levý izquierdo
ležet (v posteli) guardar cama
líbit se gustar; parecer (zc, 8)
lid pueblo *m*
lidé gente *ž*, **všichni** ~ todo el mundo, toda la gente
litovat *sentir (ie, i, 6)
litr litro *m*
loď barco *m*
loni el año pasado
lupič ladrón *m*

M

magnetofon grabadora *ž*
máj mayo *m*
málo poco
maminka mamá *ž*
mapa mapa *m*
Marie María *ž*
máslo mantequilla *ž*
maso carne *ž*
matka madre *ž*
maturita bachillerato *m*
maximální máximo
mechanický mecánico
melancholický melancólico
méně menos; **co (možná) nej**- lo menos (posible); ~ **než** menos que
měsíc mes *m*
město ciudad *ž;* **hlavní** ~ capital *ž*
metr metro *m*
metro metro *m*
mexický, **Mexičan** mexicano, mejicano (*m*)
Mexiko México, Méjico *m*
mezinárodní internacional
mi *(já)* me
milion millón *m*
mimořádný extraordinario
minerálka agua (el) *ž* mineral
minimální mínimo
ministerstvo ministerio *m;* ~ **financí** Ministerio de Hacienda; ~ **zahraničních věcí** Ministerio de Asuntos Exteriores
mínit *pensar (ie, 1)
minuta minuto *m*
mír paz *ž*
místo sitio *m*, lugar *m;* **já na vašem -ě** yo en su lugar, ...; (*zaměstnání*) empleo *m*
mít *tener (27); ~ (*povinnost*) deber; ~ **se** *estar (16)
mládež, **mládí** juventud *ž*
mladší menor (*za podst. jm.*)
mladý joven
mlčet callar
mluvit hablar
mluvnice gramática *ž*
mnoho, **-ý** mucho
moc mucho
moci *poder (21)
moderní moderno
modrý azul
Morava Moravia ž
moře mar *m*
mozol callo *m*
možnost posibilidad *ž*
možný posible; **co možná nejméně** lo menos posible
mrznout *helar (ie, 1)
mu *(on)* le
můj mi, mío
muset *tener (27) que
muzeum museo *m*
muž hombre *m;* (*manžel*) esposo *m*, marido *m*
mužstvo equipo *m*
myslet *pensar (ie, 1); creer
myšlenka idea *ž*
mýtné peaje *m*
mzda salario *m*

N

na a, en
nacista, **-ický** nazi, naci (*m*)
nad sobre, encima de
nadhodit plantear
nádraží estación *ž*
nahlas en voz alta
náhoda casualidad *ž*
nahoře arriba
nacházet (se) *encontrar(se) (ue, 3)

nachlazený resfriado
najít *encontrar (ue, 3)
najmout (si) alquilar
nakázat ordenar
nálada humor *m;* **být v dobré -ě** *estar (16) de buen humor
náměstek ředitele vicedirector *m*
náměstí plaza *ž*
namlouvat *(někomu něco)* hacer (18) creer
napadnout ocurrirse; (*zemi*) invadir
nápis letrero *m*
napsat escribir
narazit (na) chocar (contra)
narodit se *nacer (zc, 8)
národní nacional
nastolit plantear
nastoupit subir
nástupiště andén *m*
náš nuestro
návrat regreso *m*
navštívenka tarjeta *ž* (de visita)
navštívit visitar
nazítří al día siguiente; ~ **ráno** a la mañana siguiente
nazpaměť de memoria
ne no
nebezpečný peligroso
nebo o, u
nechat dejar
nějaký uno, alguno
nejlepší el mejor; ~ **by bylo** lo mejor sería
někdo alguien
několik unos, algunos, varios
Německo Alemania *ž*
Němec, německý alemán (*m*)
není no es; no hay; ~ **zač** no hay de qué
nepřítel enemigo *m*
nesnesitelný insoportable
nést llevar; (*sem*) *traer (28)
New York Nueva York *ž*
nezávislost independencia *ž*
než que; de lo que; de
nic nada
nicméně sin embargo
nikdo nadie
nikdy nunca, jamás
noc noche *ž;* **v -i** de noche, por la noche
noha pie *m;* (*celá*) pierna *ž*
nový nuevo; **co je -ého?** ¿qué hay de nuevo?
nucený obligado; **být ~** *verse (31) obligado (a)
nula cero *m*
nýbrž sino

O

o de, sobre; (*zvýšit*) en
obálka sobre *m*
občanský civil
obecní municipal
obědvat *almorzar (ue, 3), comer
obilovina cereal *m*
objednat si *pedir (i, 5)
objevit *descubrir (33)
oblíbený predilecto; favorito
obrátit se (na) dirigirse (a)
obsadit ocupar
obtěžovat (se) molestar(se)
oceán océano *m;* **Atlantský ~** Océano Atlántico
od de; desde
odboj resistencia *ž*
odborný especial, profesional
odbory sindicatos *mn. č. m*
oddělení sección *ž*, departamento *m;* **osobní ~** Departamento del Personal
odejít *irse (19)
odevzdat entregar
oddíl (*vojenský*) tropa *ž*
odjet *salir (25)
odjezd salida *ž*
odkud? ¿de dónde?
odložit aplazar
odpovědět contestar
odpovědnost responsabilidad *ž*
odtud de *n.* desde aquí
ofenzíva ofensiva *ž*
okamžik momento *m*
oko ojo *m*
okupace ocupación *ž*
olej aceite *m;* **olivový ~** aceite de oliva
onen aquel
opakovat *repetir (i, 5)
opálit se *ponerse (22) moreno
opalovat se tomar (el) sol

opera ópera *ž*
opozdit se retrasarse
opuchlý hinchado
opustit abandonar
osm ocho
osmnáct dieciocho
osoba persona *ž*
osobní personal
ostrov isla *ž;* **Kanárské -y** Islas Canarias *mn. č. ž*
osvobození liberación *ž*
otázka pregunta *ž*
otevřít *abrir (33)
oženit (se) casar(se)

P

padlý caído
padnout *caer (13)
pálit *(oheň)* quemar; *(slunce)* picar
pan señor *m;* (*s křestním jménem*) don *m*
panenka muñeca *ž*
paní señora *ž;* (*s křestním jménem*) doña *ž*
panoráma panorama *m*
pár par *m*
park parque *m*
parkovat aparcar, estacionar
parkoviště aparcamiento *m*, estacionamiento *m*
partyzán guerrillero *m*
Paříž París *m*
pas pasaporte *m*
pátek viernes *m*
patnáct quince
Pavel Pablo *m*
peníze dinero *m*
penzista jubilado *m*
pero pluma *ž*
pět cinco
pětiletý de cinco años
pěstovat cultivar; *(sport)* practicar
plán plan *m;* (*města*) plano *m*
platit pagar
plavat nadar
plést tejer, hacer punto
po después de
pobavit (se) *divertir(se) (ie, i, 6)
počasí tiempo *m;* **hezké ~** buen tiempo
počkat esperar
podat pasar; **~ doporučeně** certificar; **~ telegram** *poner (22) un telegrama
podívat se *ver (31), mirar
pohoří sierra *ž*
pohyb movimiento *m*
pocházet *provenir (30)
pochyba duda *ž;* **neměj nejmenší -y** no te quepa la menor duda
pochybovat (o) dudar (de)
pokladna caja *ž*
pokoj habitación *ž*
pokračovat *continuar (ú, 34), *seguir (i, 5)
pokrytý cubierto
poledne mediodía *m;* **v ~** al mediodía
polévka sopa *ž*, caldo *m*
policejní de policía
politika política *ž*
položit *poner (22)
pomáhat ayudar
pomalu lentamente; (*po troškách*) poco a poco
pomalý lento
pomeranč naranja *ž*
pomerančový de naranja
pomník monumento *m*
pomoci ayudar
popelník cenicero *m*
poplatek: **dálniční ~** peaje m
porazit derrotar
porážka derrota *ž*
porota jurado *m*
pořádek orden *m*
poskytnout conceder
poslat *enviar (í, 34); **~ doporučeně** certificar; **~ telegram** *poner (22) un telegrama
poslechnout *obedecer (zc, 9)
poslouchat (*zvuk*) escuchar
posloužit *servir (i, 5)
pospíchat *tener (27) prisa
pospíšit si *darse (14) prisa
postavit *poner (22)
postel la cama; **zůstat v -i** guardar cama
poštípat picar
potichu en voz baja
potřeba necesidad *ž*
potřebovat necesitar

pouze sólo, solamente
pozdě tarde
pozdrav saludo *m;* recuerdo *m*
pozdravit saludar
pozdravovat *dar (14) recuerdos
pozítří pasado mañana
pozor atención *ž;* cuidado *m;* **dát pozor (ať)** *tener (27) *n.* *poner (22) cuidado (de)
pozvat invitar
požádat *rogar (ue, 3), *pedir (i, 5)
požadavek reivindicación *ž*
práce trabajo *m*
pracovat trabajar
pracující trabajador *m*
prádelna lavadero *m*
prádlo ropa *ž*
Praha Praga *ž*
prášek (*lék*) pastilla *ž*, comprimido *m*
prát lavar
pravda verdad *ž;* **mít -u** *tener (27) razón
právo derecho *m*
pravý derecho
pražský de Praga
problém problema *m*
proč por qué
profesor profesor *m*
profesorka profesora *ž*
prohlásit declarar
projít se (po) *dar (14) una vuelta (por)
prominout perdonar
propadnout quedar suspendido; **nechat** ~ suspender
prosím por favor
prosit *pedir (i, 5)
protékat (*kudy*) pasar (por)
proti contra; (*naproti*) enfrente, frente (a)
proud corriente *ž*
provést llevar a cabo, realizar
provozovat practicar
pršet *llover (ue, 4)
průkaz carné *m;* **řidičský** ~ carné de conducir
průmysl industria *ž*
průmyslový industrial
průvan corriente *ž* de aire
průvodce guía *m;* (*kniha*) guía *ž*
první primero
přát (si) desear
před (*čas*) antes de; (*místo*) delante de
především ante todo, sobre todo
předmět (*učební*) asignatura *ž*
předpokládat *suponer (22)
předrahý queridísimo
překládat *traducir (zc, 9)
překladatel traductor *m*
překvapení sorpresa *ž*
překvapit sorprender
přepychový de lujo
přes por encima (de); (*skrz*) a través de
přestat dejar (de)
přesto a pesar de (ello)
převléknout se cambiarse
při a, junto a
přiblížit se acercarse
přidat añadir, *servir (i, 5) más
příchozí *(nový)* recién llegado *m*
přijet *venir (30), llegar
příjezd llegada *ž*
přijít *venir (30), llegar; ~ **naproti** venir a esperar
příjmení apellido *m*
přikrývka colcha *ž*
přiletět llegar
příliš demasiado
přímý directo
přinést *traer (28); ~ **s sebou**, **přivodit** acarrear
připadat parecer (zc, 8)
připravený listo
přistát llegar
přístav puerto *m*
příští próximo, que viene
přítel amigo *m*
přítelkyně amiga *ž*
psát escribir (33)
ptát se (po) preguntar (por)
půl medio; ~ **druhé** la una y media
půlnoc medianoche ž; **o -i** a medianoche
punčocha media *ž*
Pyreneje Pirineo *m n.* Pirineos *mn. č. m*

R

račit *hacer (18) el favor (de)
rád con mucho gusto; **být** ~ alegrarse

(de); **mít ~** gustar, apreciar; **~ to dělám** me gusta hacerlo; **radši (mít, dělat)** *preferir (ie, i, 6)
radnice casa *ž* consistorial
recepce recepción *ž*
reforma reforma *ž*
republika república *ž*
restaurace restaurante *m*, restorán *m*
revoluce revolución *ž*
režisér director *m*
rodina familia *ž*
roh esquina *ž*
rok año *m*
román novela *ž*
rovněž también
rozbitý roto
rozesmát hacer (18) reír
rozloučit se *despedirse (i, 5)
rozsvítit *encender (ie, 2) la luz
rozšířit (se) *extender(se) (ie, 2)
rozumět comprender
rozvést (se) divorciar(se)
rozvinutý desarrollado
ruka mano *ž;* **v ruce**, **ručně** a mano
ruský, **ruština** ruso (*m*)
ryba pez *m;* (*zabitá*) pescado *m*
rychlík expreso *m*, rápido *m*
rychlost velocidad *ž*
rýže arroz *m*

Ř

řada fila *ž;* **být řada (na)** tocar (a)
ředitel director *m*
řeka río *m*
řepa remolacha *ž;* **cukrová ~** remolacha azucarera
řešit *resolver (ue, 4)
říci *decir (15)
řidič conductor *m*
říjen octubre *m*

S

s con
sál sala *ž*
sám, **samotný** solo
se se
sedm siete
sednout si *sentarse (ie, 1)
sekretářka secretaria *ž*
servis servicio *m*
sestra hermana *ž*
sestupovat *descender (ie, 2)
setkat se *encontrarse (ue, 3)
sever norte *m*
severoamerický norteamericano
shledaná: **na -ou** hasta la vista; **na brzkou -ou** hasta pronto
schody escalera *ž*
schránka buzón *m*
schůze reunión *ž*
schůzka cita *ž;* **dát si -u** citarse
síla fuerza *ž*
silnice carretera *ž*
sjezd congreso *m*
sklenice vaso *m*
skončit terminar
skříň armario *m*
skutečný real
slavit celebrar
slečna señorita *ž*
Slovensko Eslovaquia *ž*
slovenský eslovaco
slovník diccionario *m*
slunce sol *m*
slunit se tomar (el) sol
smát se (*někomu*) *reírse (i, 5) (de)
smět deber; *poder (21)
smůla mala suerte *ž*
snadný fácil
snášet soportar
snažit se tratar (de)
snědý moreno
sněžit *nevar (ie, 1)
snídaně desayuno *m*
snídat desayunar
sníh nieve *ž*
snoubenka novia *ž*
socha estatua *ž*
soukromý privado
soused vecino *m*
sovětský soviético
spát *dormir (ue, u, 7); **jít ~** *acostarse (ue, 3)

spěchat *tener (27) prisa
společnost compañía *ž*
spojenec aliado *m*
spolupracovník compañero *m* de trabajo
sport deporte *m*
sportovec deportista *m*
stanice estación *ž; (zastávka)* parada *ž*
stanovit plantear
starat se (o) preocuparse (por, de)
starost preocupación *ž;* **dělat -i** preocupar
starší mayor (*za podst. jm.*)
starý viejo
stát *estar (16); **~ ve frontě** *hacer (18) cola
stát (*cena*) *costar (ue, 3)
stát se (*udát se*) ocurrir; (*kým*) *convertirse (ie, i, 6) (en); ser (26)
stavit se (pro) *ir (19) a recoger
stezka sendero *m*
stipendium beca *ž*
století siglo *m*
stoupnout si *ponerse (22)
strach miedo *m*
strana lado *m; (politická)* partido *m*
stránka página *ž*
stroj máquina *ž;* **na -i, strojem** a máquina
strom árbol *m*
strýc tío *m*
středa miércoles *m*
středoamerický centroamericano
střik vino *m* con gaseosa
student estudiante *m*
studovat estudiar
stůl mesa *ž*
stupeň grado *m*
sváteční de fiesta
svátek fiesta *ž*
svět mundo *m*, **celý ~** el mundo entero
světový mundial
svetr jersey *m*
svobodný (*ne ženatý*) soltero

Š

šachy ajedrez *m*
šálek taza *ž*
šéf jefe *m*
šéfka jefa *ž*
školství enseñanza *ž*
šofér chófer *m*
Španěl español *m*
Španělsko España *ž*
španělský español
španělština español *m*
špatně mal; **je mi ~** estoy mal *n.* malo
šťastný feliz
šťáva zumo *m, A* jugo *m*
šváb cucaracha *ž*
štěstí (buena) suerte *ž*
štíhlý delgado
štípat picar
šunka jamón *m*
švagr cuñado *m*

T

tábor campo *m;* **koncentrační ~** campo de concentración
tady aquí
tak así; **~ ... jak(o)** así ... como; tan ... como
také también
takový tal
tam ahí, allí
tamhle allí
tamten aquel
tančit bailar
tanec baile *m*
tatíček padrecito *m*
tě *(ty)* te
teď ahora; **~ hned** ahora mismo
tehdy entonces
telegram telegrama *m*
tělo cuerpo *m*
tělocvik gimnasia *ž*
téměř casi
tento este
tentokrát esta vez
tentýž el mismo
teplo calor *m;* **je ~** hace calor; **je mi ~** tengo calor
teploměr termómetro *m;* **dát si ~** *ponerse (22) el termómetro
teplý caliente

terén terreno *m*
těsnopis taquigrafía *ž*
teta tía *ž*
těžký (*nesnadný*) difícil
ti *(ty)* te
tisíc mil
tisícovka mil *m*, millar *m*
tlumočník intérprete *m*
to eso, lo; **~, co** lo que
totéž lo mismo
třeba: **být ~** *ser (26) necesario; *caber (12)
tobě a ti
tohle esto
tolik tanto; **~ ... jako** tanto ... como
Tomáš Tomás *m*
topení calefacción *ž*
topinka pan *m* tostado, tostada *ž*
továrna fábrica *ž*
tranzit tránsito *m*
trávit pasar
trochu un poco
trvat durar
třeba quizás; **být ~** *ser (26) necesario
třicet treinta
třída (*školní*) clase *ž;* (*ulice*) avenida *ž*
tříměsíční de tres meses
tu aquí
tudy por aquí
turista turista *m*
turistický turista
tužka lápiz *m*
tvůj tu, tuyo
ty tú; **s tebou** contigo
týden semana *ž*

U

u cerca de, al lado de, junto a, en casa de
ubohý pobre (*před podst. jm.*)
ubytování alojamiento *m*
učit *enseñar* (a); **~ se** aprender (a)
uchazeč (o, na) aspirante (a) *m*
ukázat *mostrar (ue, 3)
ukažte! (*dejte sem!*) ¡traiga!
uklidnit (se) calmar(se)
ukrást robar
uložit guardar
umělec artista *m*
umět *saber (24)
unavený cansado
unavit cansar
univerzita universidad *ž*
univerzitní universitario
upadnout *caer (13)
úpatí: **na ~** al pie (de)
upotřebení uso *m*
úroveň nivel *m;* **životní ~** nivel de vida
úředník empleado *m*
usmívat se *sonreír (i, 5)
ústřední central
utíkat correr
útočník invasor *m*
utratit gastar
utrpět sufrir
už ya

V

v en; **ve tři hodiny** a las tres; **v neděli** domingo
válka guerra *ž*
vám *(vy)* le, les, os, a usted, a ustedes, a vosotros
vás *(vy)* le, la, a usted, os, les, las, a ustedes
váš su, suyo
včera ayer
vdát se casarse
věc cosa *ž*
večer noche *ž;* **dobrý ~** buenas noches
večeře cena *ž*
večeřet cenar
vědecký científico
vědět *saber (24)
vedle al lado (de)
vejít (do) entrar (en); **~ se** *caber (12)
velice muy, mucho
velký grande
velvyslanectví embajada *ž*
venkov campo *m*
veřejný público
věřit creer
vesnice aldea *ž*, pueblo *m*
vést dirigir; (*cesta*) *conducir (zc, 9); (*okno*) *dar (14) (a); (*někam*) *dar (14) acceso (a)

veškerý todo (el)
vězení, **věznice** cárcel *ž*
vézt llevar, *traer (28)
vcházet entrar (en)
víc más; **-e méně** más o menos; **-e než** más que (*n.* de)
vidět *ver (31)
víno vino *m*
vítr viento *m*
vláda gobierno *m*
vlak tren *m*
vlas; **vlasy** pelo *m*
vlastní propio
vlevo a la izquierda
vlněný de lana
vloni el año pasado
voda agua (el) *ž*
vojsko ejército *m*, tropas *mn. č. ž*
volat llamar
volný libre
vonět *oler (ue, 4); ~ **čistotou** oler a limpio
vpravo a la derecha
vracet se regresar, *volver (32)
vše todo
všichni todos (los)
vůz coche *m;* **lehátkový** ~ coche con literas; **lůžkový** ~ coche-cama *m*
vy usted, ustedes, vosotros
vybudovat *construir (y, 10)
výdaj gasto *m*
vydělávat ganar
vyhlásit declarar, proclamar
vyhrát ganar
východ (nouzový) salida *ž* (de emergencia)
vyjet, **vyjít** partir, *salir (25)
vykořisťování explotación *ž*
vykrást robar
vyprávět *contar (ue, 3)
výroba producción *ž*
výsledek resultado *m*
výslovnost pronunciación *ž*
vyslovovat pronunciar
vysoký alto
výstava exposición *ž*
vystoupit (*z vlaku*) bajar
vysvětlit explicar
vytáhnout sacar
vytvořit crear
vyučení aprendizaje *m*
využít aprovechar
vyvolat (*způsobit*) causar
vývoz exportación *ž*
vyzkoušet examinar
výzkum investigación *ž*
významný importante
vzbudit *despertar (ie, 1)
vzdychat suspirar
vzít tomar; ~ **si** (*obléci*) *ponerse (22)
vzpomínat *recordar (ue, 3)
vždycky siempre

Z

z de
za detrás de; (*účel, cena*) por
zábavný divertido
zabít (se) matar(se)
začátek comienzo *m*, principio *m;* **-kem října** a principios de octubre
začít *comenzar (ie, 1), *empezar (ie, 1)
záhodno: být ~ *convenir (30)
zahraničí extranjero *m*
zahrát (*hru*) *jugar (ue, 3); (*hudbu*) tocar
zahynout *perecer (zc, 8)
zájem interés *m*
zajímat interesar
zajít (pro) *ir (19) a recoger (*4. pád*)
zákazník cliente *m*
zamilovat se (do) enamorarse (de)
zápal plic pulmonía *ž*
zaparkovat aparcar
zaplatit pagar
zapnout (*rádio*) *encender (ie, 2)
zapomenout olvidar; **zapomněl jsem** olvidé *n.* se me olvidó
zařízení equipo *m*
zastavit se *hacer (18) escala
zastavovat parar
zastoupení representación *ž*
zatím mientras tanto
zatímco mientras
zavolat llamar
zavrtět (hlavou) *mover (ue, 4) (la cabeza)
zavřít *cerrar (ie, 1); (*vypnout*) apagar

zbývat quedar; **nezbývá mi, než** no me queda otro remedio que; (*být navíc*) sobrar
zdát se *parecer (zc, 8); ~ **(o)** *soñar (ue, 3)
(con)
zdejší de aquí
zdokonalit perfeccionar
zdraví salud *ž; na* ~! ¡a tu (*n.* su) salud!
zdravý sano
země país *m*
zemědělství agricultura *ž*
zemřít *morir (ue, u, 7)
zhasnout apagar
zima (*období*) invierno *m;* (*chlad*) frío *m;* **je** ~ hace frío; **je mi** ~ tengo frío
zítra, **zítřek** mañana *m;* ~ **ráno** mañana por la mañana; **nechat na** ~ dejar para mañana
zítřejší de mañana
zkoušet examinar
zkouška examen *m*
zlobit (se) enfadar(se); ~ **se** na někoho *estar (16) enfadado (con)
zlomit *romper (33)
zmrzlý helado
znalost conocimiento *m*
znát *conocer (zc, 8)
zničit *destruir (y, 10)
znovu de nuevo; ~ **udělat** *volver (32) a hacer
zpátky de vuelta; **peníze** ~ (*nazpátek*) vuelta *ž*, *A* vuelto *m*
zpoždění retraso *m;* **mít** ~ llevar *n.* *traer (28) retraso
zpráva noticia *ž*
zralý maduro
ztratit *perder (ie, 2)
ztrávit pasar
zůstat quedar(se); ~ **ležet** (*v posteli*) guardar cama
zvětšovat *ampliar (í, 34)
zvyklý acostumbrado
zvyknout si acostumbrarse

žába rana *ž*
že que
železničář ferroviario *m*
žena mujer *ž*
ženatý casado
ženich novio *m*
žert broma *ž*
židovský judío
žít vivir
život vida *ž*
žně cosecha *ž*

REJSTŘÍK

A

B

C

Č

D

E

F

G

H

I

J

K

L

M

N

O

P

Q

R

S

T

U

V

Y

Z

Poznámky